· Achados & Perdidos da História ·

ESCRAVOS

Achados & Perdidos da História

ESCRAVOS

A VIDA E O COTIDIANO DE 28 BRASILEIROS
ESQUECIDOS PELA HISTÓRIA

LEANDRO NARLOCH

ESTAÇÃO
BRASIL

EDIÇÃO *Pascoal Soto*

REVISÃO *Hermínia Totti e Luis Américo Costa*

CAPA E PROJETO GRÁFICO *Angelo Allevato Bottino & Fernanda Mello*

DIAGRAMAÇÃO *Natali Nabekura*

IMAGEM DE CAPA *Alberto Henschel/ Convênio Instituto Moreira Salles – Leibniz-Institut fuer Laenderkunde, Leipzig*

INFOGRÁFICO DO MAPA P. 62-63 *Arion Lian Wu*

TRANSCRIÇÃO DE DOCUMENTOS *Bárbara Ornellas e Tiago Salvador*

IMPRESSÃO E ACABAMENTO *Geográfica e Editora Ltda.*

CIP-BRASIL. CATALOGAÇÃO NA PUBLICAÇÃO
SINDICATO NACIONAL DOS EDITORES DE LIVROS, RJ

N188a Narloch, Leandro
Achados e perdidos da história: escravos / Leandro Narloch;
Rio de Janeiro: Estação Brasil, 2017.
208 p.; il.; 16 x 23 cm. (Achados & Perdidos da História; 1)

ISBN 978-85-5608-023-3

1. Escravidão – Brasil – História – Século XIX.
I. Título. II. Série.

17-45167 CDD: 981.04
CDU: 94(81)

GMT Editores Ltda.
Rua Voluntários da Pátria, 45 – Gr. 1.404 – Botafogo
22270-000 – Rio de Janeiro – RJ
Tel.: (21) 2538-4100 – Fax: (21) 2286-9244
E-mail: atendimento@sextante.com.br
www.sextante.com.br

Para Ilana, minha irmã
apaixonada por livros e histórias.

Achados & Perdidos da História

UMA SEÇÃO DE ACHADOS E PERDIDOS costuma reunir coisas diversas – carteiras, documentos, guarda-chuvas, alianças, sapatos de bebês, óculos, livros... Em comum, esses objetos são vestígios da aventura humana. Impregnados de vida e tempo, guardam a história de pessoas que construíram, destruíram, choraram, sorriram, sentiram saudades, se aventuraram, viveram.

Assim como objetos esquecidos no metrô ou num terminal de ônibus, personagens do passado facilmente se perdem no meio de páginas e estantes de bibliotecas. Alguns chegam a encantar uma geração, motivam discussões e grandes obras, mas de repente deixam de provocar interesse e as gerações seguintes crescem sem ter ouvido falar deles. Ficam esquecidos até que um historiador vasculhe arquivos empoeirados e tenha a sorte de resgatá-los e dar a eles uma vida nova.

A coleção Achados & Perdidos da História tem o objetivo de resgatar biografias de personagens diversos – conhecidos ou anônimos – que retratam momentos fundamentais da humanidade. Conta a história do Brasil e do mundo por meio de histórias de vida. Não há caminho melhor para se reconectar ao passado do que conhecer dramas e aventuras de homens e mulheres que construíram a nossa identidade.

SUMÁRIO

INTRODUÇÃO

CALHAMAÇOS COM DOCUMENTOS e registros sobre a escravidão ficaram por muito tempo esquecidos em arquivos brasileiros simplesmente porque não havia quem os analisasse. A transcrição e a interpretação de documentos antigos são processos lentos, difíceis e muitas vezes tediosos – o historiador precisa passar por muitos textos cheios de instruções burocráticas até encontrar histórias que revelem preciosidades do passado. Mas dos anos 1990 para cá, com o aumento dos cursos de graduação e pós-graduação em história, um exército de jovens historiadores avançou sobre os arquivos. Eles descobriram que, embora o ministro Rui Barbosa, em 1890, tenha mandado queimar registros da escravidão para evitar que os antigos senhores pedissem indenização ao governo pela perda dos escravos, muitos outros documentos haviam sido preservados.

Famintos por novas histórias e interpretações, esses estudiosos vasculharam registros de batismo e de óbito, testamentos, cartas de alforria, anúncios e notícias de jornais, cartas e correspondências administrativas, relatos de viajantes estrangeiros, tabelas de movimentação de portos, ações de liberdade movidas por escravos contra seus senhores, processos comerciais, criminais e da Justiça eclesiástica, entre muitos outros. Das décadas do trabalho vagaroso e extenuante desses pesquisadores, surgiram personagens extraordinários da escravidão brasileira.

A missão deste livro é contar a história da escravidão por meio de algumas dessas histórias de vida. A partir da biografia de escravos, percorro os três séculos da escravidão e suas diversas fases: a escravidão portuguesa de povos não africanos, a captura de negros na África, a negociação com os reis africanos, a travessia do Atlântico a bordo dos navios negreiros, a vida nas fazendas, os quilombos, o cotidiano agitado nas cidades quando a abolição se aproximava. Muitas histórias confirmam a brutalidade que, como sabemos, marcava aquele sistema. Como a da piauiense que dizia ser "um colchão de pancadas", a do rapaz com "sinais de chicote pela barriga, costas e pescoço" que pareciam "cicatrizes de fogo", a do menino livre que foi sequestrado e vendido como escravo. Outras histórias espantam: no século 18, uma mulher livre se vendeu como escrava; um negro liberto mandava dinheiro a viúva de seu antigo dono após saber que ela tinha empobrecido. São relatos tão surpreendentes que só conseguimos entendê-los se abandonarmos nossa mentalidade acostumada à liberdade e aos direitos humanos do século 21.

A conclusão a que o leitor provavelmente chegará ao final do livro é que não houve só uma escravidão no Brasil. Mas várias, de diversos tipos e cenários. Alguns exemplos do relacionamento entre escravos e senhores lembram o que Gilberto Freyre chamava de "escravidão branda", aquela em que o senhor era bondoso e o escravo, fiel. Outras convergem com as ideias de Florestan Fernandes e Fernando Henrique Cardoso, os acadêmicos da escola paulista que nos anos 1960 contrariaram Gilberto Freyre ao mostrar a rotina de terríveis castigos que os escravos sofriam. Se há alguma afirmação neste livro, é a de que a escravidão brasileira foi muito mais diversa, complexa e interessante do que imaginamos.

GBEGO E JOAQUIM

GBEGO SOKPA foi um africano vendido como escravo ao Brasil no século 19. Joaquim d'Almeida era um traficante de escravos da mesma época.

Gbego nasceu em Hoko, cidade da nação Mahi, na África Ocidental. Quando ele era criança, o exército de algum rei africano atacou sua vila e capturou sua família. Levado a ferros até a costa, Gbego foi vendido para traficantes de escravos e embarcado no porão de um navio negreiro.

No outro lado do Atlântico, Joaquim d'Almeida alugava navios negreiros para ir até o Golfo do Benim adquirir escravos como Gbego. Comprava "peças", como se dizia na época, pagando os reis africanos ou os intermediários com ouro, libras esterlinas, dólares ou rolos de fumo da Bahia.

Gbego pertencia ao povo Jeje, que ocupava territórios onde hoje estão Togo, Gana e Benim. Os Jejes e seus descendentes foram os principais criadores de religiões afro-americanas como o candomblé, o vodu haitiano e a *santería* cubana.

Joaquim d'Almeida praticava o catolicismo com devoção. Chegou a embarcar, na Bahia, um carregamento com estátuas e imagens semelhantes às da capela do Corpo Santo, uma igrejinha ainda hoje instalada no bairro do Comércio, em Salvador. Mandou a carga para o Daomé, um dos reinos do Golfo do Benim, onde construiu a primeira capela católica da região. Décadas depois, quando missionários europeus chegaram à costa da África, se espantaram ao descobrir que já havia uma capela por ali e que ela "era provida de todo o necessário ao exercício do culto, suntuosamente decorada para a região", como descreveu um padre italiano que visitou o reino do Daomé no fim do século 21.[1]

O escravo Gbego, ao chegar a Salvador, passou a servir um pernambucano chamado Manoel, que trabalhava como mercador de escravos e capitão de navios negreiros. Entre 1814 e 1826, esse capitão viajou pelo menos onze vezes para a África, a bordo de tumbeiros como o *Príncipe de Guiné*, que era capaz de carregar até 600 pessoas.[2] Gbego conquistou a confiança de seu senhor e passou a acompanhá-lo nas viagens.

O traficante Joaquim d'Almeida, por volta de 1845, decidiu deixar a Bahia e se mudar para a costa da África Ocidental. Antes da viagem, escreveu um testamento. Afirmou possuir nove escravos em seu poder, 36 em Havana e vinte em Pernambuco, além de uma casa em Salvador e participações em dois navios negreiros que naquele momento cruzavam o Atlântico.

Durante o convívio com outros escravos na Bahia, Gbego conheceu o cristianismo e ingressou na confraria do Senhor Bom Jesus das Necessidades e Redenção dos Homens Pretos, uma irmandade que só aceitava africanos como integrantes.

Na África, Joaquim d'Almeida se instalou em Aguê, uma das cidades do litoral do Benim – a mesma onde construiu a capela nos moldes da igreja baiana. Em pouco tempo ganhou reputação de grande traficante de escravos. Segundo o relato do comandante britânico Frederick E. Forbes, que vi-

Mercado de escravos em Zanzibar, 1882.

sitou o Daomé em 1849, Joaquim era um homem rico e "um mercador de escravos em escala intensiva".[3] Quatro anos depois, o cônsul britânico em Salvador escreveu que o traficante figurava "entre os três principais negreiros estabelecidos na costa da África".

Gbego, alguns anos depois de chegar a Salvador como carga de um navio negreiro, conquistou a alforria (não se sabe como; provavelmente juntando economias para comprá-la ou ganhando de presente do seu dono). Livre, aproveitou seus contatos e a experiência no tráfico de escravos pelo Atlântico para seguir a profissão de seu senhor. Quando se converteu ao catolicismo, Gbego havia decidido se batizar com um nome cristão. Ao escolher o novo nome, homenageou o antigo dono, o capitão Manoel Joaquim d'Almeida.

Foi assim que o escravo Gbego Sokpa se tornou o traficante de escravos Joaquim d'Almeida.

O ex-escravo e então traficante de escravos criou na cidade de Aguê uma comunidade de libertos que haviam vivido no Brasil. O etnógrafo Pierre Verger, pesquisando livros de batismo nas igrejas e capelas do antigo Daomé, encontrou 82 filhos de Joaquim d'Almeida, além de muitos escravos que ele batizou como padrinho. A comunidade de "agudás", os ex-escravos do Brasil que retornaram à África, existe ainda hoje no Benim. Todo mês de janeiro, seus descendentes organizam a festa do Senhor do Bonfim, comem feijoada, cantam antigas músicas luso-brasileiras e deixam oferendas ao redor do túmulo do africano Gbego Sokpa, que ainda hoje é conhecido por ali como o brasileiro Joaquim d'Almeida.[4]

BENEDICTA (OU OVÍDIA)

O FILME *Doze anos de escravidão* conta a história real do fazendeiro e violinista Solomon Northup, um negro livre americano que em 1841 foi sequestrado em Nova York e enviado ao sul dos Estados Unidos. Obrigado pelos sequestradores a aceitar outra identidade, Solomon foi escravizado por doze anos numa fazenda da Luisiana.

Histórias talvez ainda mais dramáticas que essa aconteceram diversas vezes no Brasil, principalmente a partir de 1850. Um pouco antes, em 1846, os ingleses extinguiram as Corn Laws, as leis que dificultavam a importação de grãos. O fim dessas leis deu um belo impulso à exportação de café e açúcar do Brasil. Os fazendeiros brasileiros podiam enfim exportar para os ingleses enriquecidos pela Revolução Industrial, mas havia um problema: faltavam braços. Em 1850, a Lei Eusébio de Queirós enfim encerrou o tráfico negreiro pelo Atlântico. Como a demanda por trabalhadores estava em alta mas a oferta, em baixa, o preço médio de um escravo disparou: passou de cerca de 400 mil-réis em 1849 para mais de 1 conto (1 milhão) de réis em 1860.[5] Surgiu assim uma onda de sequestros, escravizações ilegais e reescravizações (quando libertos eram escravizados novamente). Sequestradores ficavam à espreita de negros livres, principalmente mulheres e crianças, para capturá-los, dar a eles uma nova identidade e vendê-los como escravos. Os criminosos também agiam no Uruguai, que tinha abolido a escravidão em 1842. Sequestravam negros livres que viviam ali e os vendiam no Brasil.

Uma dessas vítimas foi o pardo Francisco, de 11 anos. Em 1851, ele brincava perto de casa, em Pelotas, no Rio Grande do Sul, quando foi sequestrado por um homem chamado Máximo. Foi levado a cavalo para um cativeiro, onde permaneceu até ser vendido para um mascate. Francisco insistia que era livre, mas os homens respondiam "com pancadas", segundo o testemunho que o garoto deu à polícia depois de ser encontrado. A mãe dele acionou o delegado da cidade, que por sorte conseguiu encontrar Francisco meses depois, num distrito perto de Pelotas.[6]

Outro caso envolveu os negros Moisés e Francisco, moradores do norte do Uruguai. Em 1862, eles aceitaram a proposta de trabalho de um homem que precisava de ajuda para "uma tropa", ou seja, para um carregamento em mulas. Durante uma parada no caminho, três comparsas do tropeiro apareceram, renderam os dois negros, amarraram-nos e os venderam para um homem que se preparava para levá-los ao Rio de Janeiro. "No entanto, antes que isso pudesse acontecer, o vice-cônsul, em Rio Grande, foi avisado, conseguindo evitar a saída do vapor e a consequente venda de Moisés e Francisco à Corte", conta o historiador Jônatas Marques Caratti.[7]

Ainda mais cinematográfica é a história de uma negra que se chamava Benedicta Maria Albina da Ilha. Em abril de 1880, então com 25 anos, ela mandou cartas desesperadas para um delegado avisando que tinha sido sequestrada e estava prestes a se tornar escrava. Contou que fora capturada no Rio de Janeiro pelo capitão Fernando Pinheiro, para quem costumava trabalhar, e vendida a um caixeiro-viajante. Esse comerciante a manteve presa com outros negros em sua casa e obrigou que a moça passasse a se chamar Ovídia. Caso insistisse em contar aos outros que seu nome era Benedicta, ele a manteria presa numa fazenda para a vida toda. Dias depois, o caixeiro-viajante embarcou Benedicta e os outros negros no trem da ferrovia Dom Pedro II, que ia do Rio de Janeiro para São Paulo, a fim de vendê-los como escravos a fazendas de café do Vale do Paraíba.*

Benedicta contou ainda que, durante a viagem, conseguiu conquistar a confiança do capataz que a vigiava, tendo liberdade para pedir a ajuda de passageiros. Como era analfabeta, os demais escreveram as cartas para ela. Quando tinha uma chance, Benedicta enviava pelo correio as mensagens de socorro ao delegado. "Venho implorar a sua valiosa proteção, pois que me acho retida em uma casa desta cidade de Taubaté para ser vendida. Peço para todos os santos para vosmecê vir me livrar desta injusta opressão", escreveu.[8]

Bráulio Muniz, o delegado que recebeu as cartas, já conhecia Benedicta desde o ano anterior. Em outubro ou novembro de 1879, ela foi detida na estação de trem de Cachoeira, no Vale do Paraíba, em São Paulo. O chefe da estação descobriu que a negra tinha embarcado no Rio de Janeiro com uma passagem para outra estação. Suspeitou que se tratava de uma escrava fugida e acionou o delegado. Como nessa época muitos

---

*O trem de passageiros entre Rio de Janeiro e São Paulo funcionava desde 1877. Passava por fazendas de café e cidades ricas do Vale do Paraíba, como Barra Mansa, Resende, Cachoeira (hoje Cachoeira Paulista), Taubaté e São José dos Campos. Com a proclamação da República, o nome da estrada mudou de Dom Pedro II para Ferrovia Central do Brasil. O trem de passageiros existiu por mais de um século – seu serviço foi interrompido em 1988. Caro e demorado demais (a viagem levava mais de dez horas) e sujeito a interrupções por problemas nas linhas, o trem perdeu para a concorrência dos ônibus e aviões.

cativos fugiam pelas linhas de trem, mas também havia vários negros livres no Brasil, era preciso investigar a real identidade dos suspeitos. Coube ao delegado Bráulio Muniz confirmar o histórico da mulher.

Nessa ocasião, Benedicta contou ao delegado que nasceu em São João do Príncipe, no Vale do Paraíba fluminense, e era filha do pescador Manoel da Ilha e de Sabina da Ilha. Aos 12 anos, se mudou para o Rio de Janeiro a fim de trabalhar como doméstica. Para confirmar a história, o delegado mandou uma carta à delegacia mais próxima daquele município perguntando se a história era verdadeira. Nos dois meses em que esperaram a resposta, Benedicta ficou trabalhando na casa do delegado. Quando chegou a carta em que os policiais de São João do Príncipe confirmaram a versão da negra, o delegado a liberou e emitiu para ela uma autorização de viagem.

No ano seguinte, quando recebeu as cartas em que Benedicta pedia socorro, o delegado não hesitou. Mandou ofícios informando o caso à polícia da Corte e às delegacias das cidades cortadas pela ferrovia Dom Pedro II, e correu a Taubaté para "livrar das garras de qualquer abutre a infeliz". Benedicta foi resgatada e "depositada em juízo", ou seja, abrigada na prisão da cidade. A polícia colheu o depoimento dela e do delegado, e indiciou o capitão Fernando Pinheiro, do Rio de Janeiro, pelo crime de redução de pessoa livre ao cativeiro. Como nessa época a escravização ilegal era um crime frequente, o caso parecia resolvido. Mas o depoimento do capitão Fernando Pinheiro provocou uma reviravolta na história.

Acusado de sequestrar a negra, o capitão insistiu com policiais de Taubaté que aquela mulher era, sim, Ovídia, uma escrava fugida. A tal Benedicta seria uma invenção, uma identidade falsa. O capitão contou ter comprado Ovídia em 1878 por

Escrava sentada, vista de costas. Desenho de Thomas Ender, século 19.

um conto de réis e comprovou isso mostrando uma escritura de compra e venda. Em 1879, segundo ele, Ovídia começou a empreender diversas fugas, sempre para procurar emprego como se fosse uma mulher livre chamada Benedicta. A primeira fuga terminou seis meses depois, quando o capitão a encontrou numa agência de emprego. Decidiu então alugá-la para o capitão de um navio, mas Ovídia fugiu outra vez. Quando conseguiu reencontrá-la, ele optou por vendê-la a um caixeiro-viajante que a levaria para alguma fazenda de café. Foi assim que, em abril de 1880, Benedicta, ou melhor, Ovídia, foi parar no trem de onde mandou as cartas para Bráulio Muniz.

Faltava resolver uma questão: como e por que a delegacia de São João do Príncipe confirmou, em 1879, que Benedicta havia nascido naquela cidade e era filha de Manoel da Ilha? Os policiais decidiram investigar mais uma vez essa história – e chegaram a uma descoberta estarrecedora. Descobriram que havia uma mulher livre com esse nome em São João do Príncipe, mas que ainda vivia por lá. Depoimentos dessa verdadeira Benedicta e de seus familiares revelaram que a escrava Ovídia e a livre Benedicta eram meias-irmãs. O pai delas era o mesmo, mas Ovídia era filha bastarda, fruto de uma relação de Manoel com a escrava de um compadre, e Benedicta, a filha oficial. "Benedicta livre e Ovídia escrava viveram, até certo ponto, uma sina comum", conta a historiadora Maria Helena Machado, que descobriu a história em arquivos de Taubaté. "Cresceram juntas em casa dos padrinhos enquanto moradoras, e não proprietárias, e viviam de prestar serviços e de favores." Como nasceu antes da Lei do Ventre Livre, de 1871, Ovídia era oficialmente escrava. Quando o dono de sua mãe morreu, ela se transformou em herança. Foi repassada a herdeiros e revendida algumas vezes, até ser comprada, no Rio de Janeiro, pelo capitão Fernando Pinheiro.

Um detalhe possibilitou que a polícia tivesse mais uma comprovação. Segundo o capitão Fernando Pinheiro, a escrava tivera um filho em 1878, o que ela negava. Não se sabe o que aconteceu com a criança – provavelmente morrera logo depois do parto. Esse episódio deve ter abalado Ovídia, pois a partir daí ela começou a fugir e a tentar se passar por Benedicta. Para comprovar a verdadeira identidade da negra, a polícia se baseou num exame médico-legal que constatou que o colo do útero estava dilatado como o de mulheres que já tiveram filhos. Conseguiram assim esclarecer o mistério. Ovídia tinha aproveitado a quantidade de casos de escravização ilegal da época para se passar por uma mulher que havia sido sequestrada.

Como mostra o capítulo "Manoel Preto", há diversos exemplos de escravos que adotaram identidade falsa, tentaram trapacear os senhores ou enganar a Justiça para se livrarem da crueldade da escravidão. Mas as atitudes de Ovídia parecem ter ido além de uma estratégia de liberdade. Ela queria tanto ser Benedicta, sua meia-irmã livre e mais velha, que passou a acreditar nisso.

JOANNA

JOANNA BAPTISTA foi uma mulher livre que se vendeu como escrava. No dia 19 de agosto de 1780, ela compareceu a um cartório de Belém, no Pará, e registrou uma escritura de compra e venda de si própria.

"De sua livre e espontânea vontade, sem constrangimento de pessoa alguma", diz o documento, hoje guardado nos arquivos da Torre do Tombo, em Portugal, "ela, outorgante, desiste de todo o privilégio da liberdade e foro que pudesse alegar que até agora tinha, e se submete debaixo das leis e penas da escravidão, e desde logo renuncia, para sempre, tudo quanto pudesse haver em direito a seu favor, para ir desde logo para a servidão e cativeiro de Pedro da Costa, que desde já o reconhece por seu senhor."[9]

Joanna era uma cafuza, filha de uma índia e um escravo negro que tinham passado a vida a serviço de um padre da cidade. Os pais haviam morrido e a moça, de 19 anos, sem condições de sobreviver sozinha, procurava um lugar onde pudesse viver e trabalhar.

O valor do negócio era 80 mil-réis – metade em dinheiro e metade em joias e acessórios de ouro. Segundo a escritura,

Joanna já havia recebido o dinheiro, um brinco e um colar de ouro. Faltavam 22 mil-réis, que seriam pagos aos poucos pelo comprador, o catalão Pedro da Costa. Joanna se comprometia a "passar recibo de quitação de si própria" quando o comprador terminasse de pagar a dívida. A escritura descrevia outros dois acordos: caso Joanna tivesse filhos, eles nasceriam em liberdade; se o senhor não cuidasse dela com respeito, ela poderia pedir que fosse vendida para outra pessoa.

Mesmo naquela época a decisão de Joanna Baptista provocou assombro. "É um dos procedimentos mais estranhos e extraordinários de que tenho notícia", disse o então governador do Pará e Rio Negro, Telo de Meneses, numa carta para o secretário de Estado da Marinha e Ultramar. Em "um século iluminado, de tanta humanidade, e em que a real grandeza de nossos augustos monarcas tem empenhado tanto a favor da liberdade dos seus povos", uma história daquelas "só poderia acontecer neste país, onde a corrupção e a libertinagem grassam com maior desenvoltura que em qualquer outro".

Tanto no século 18 quanto hoje, a grande pergunta que o caso desperta é: por que Joanna Baptista se vendeu como escrava?

No livro *Slavery and Social Death*, um clássico sobre a história universal da escravidão, o historiador Orlando Patterson conta que episódios de autovenda ocorreram em diversas sociedades escravistas. Ele lista três principais motivos para uma decisão como essa. O primeiro é a pobreza. Na Rússia entre os séculos 17 e 19, na China e no Japão medievais, pessoas se venderam como escravas para não morrer de fome. Outra razão é a insegurança política. "Estrangeiros que se viram apartados de seus parentes em sociedades tribais frequentemente procuraram se vender à escravidão como a única forma de sobrevivência", conta o historiador. No Congo durante o século 19 ou na Alemanha medieval, virar escravo foi um modo de não ser morto pelo inimigo. O terceiro motivo era escapar do serviço militar ou da condenação pelo não pagamento de impostos. Segundo Patterson, isso aconteceu na China e, principalmente, na Coreia da dinastia Yi, que vigorou de 1392 a 1910.

O jesuíta Matteo Ricci, que viveu trinta anos na China e escreveu o primeiro dicionário chinês-português, dá mais uma razão: conseguir uma esposa. "Incapazes de viver sem mulheres, e não tendo dinheiro para comprá-las, os chineses se vendem como escravos para algum homem rico, pois este lhes dará como esposa uma de suas escravas; assim, eles e seus filhos permanecem escravos para sempre", escreveu Ricci em 1608. Aqueles que eram casados mas não tinham dinheiro para sustentar os filhos os vendiam por "menos do que se pagaria por um porco ou um cavalo velho".[10]

No caso de Joanna, a escritura que ela assinou dá uma pista dos seus motivos. Diz o documento:

> *Como se achava sem pai nem mãe que dela pudessem tratar e sustentar assim para a passagem da vida e em suas moléstias, e nem tinha meios para poder viver em liberdade, resolveu a outorgante viver em sossego, empregando-se a serviço de Deus e de um senhor que tivesse dela cuidado, e em suas moléstias a tratasse; como, por lhe ter custado dinheiro, assim o faria.*

Repare neste trecho: "um senhor que tivesse dela cuidado (...) como, por lhe ter custado dinheiro, assim o faria". Joanna Baptista, sugere o documento, se escravizou porque desejava viver em sossego. Essa passagem mostra

como ela enxergava a escravidão doméstica. Joanna achava que ser propriedade de alguém resultaria em cuidado e proteção, afinal as pessoas costumam cuidar de suas posses e até mesmo investir nelas. Sem querer, Joanna tocou num tema que dois séculos depois renderia discussões acaloradas entre estudiosos.

Em 1974, os economistas Stanley L. Engerman e Robert Fogel (que depois ganharia o Nobel de Economia) publicaram um livro demonstrando, com base em centenas de estatísticas, que os escravos no sul dos Estados Unidos tinham uma alimentação melhor e mais rica que a da média das pessoas livres. Os autores obviamente não queriam atenuar ou defender a escravidão, mas entender a racionalidade econômica por trás dela. Mostraram que os proprietários, como Joanna Baptista previu, se preocupavam com a saúde dos escravos, tentavam controlar doenças e evitar a morte de gestantes. A mortalidade de escravas de 20 a 29 anos era de uma a cada 167, baixíssima para a época. Estudos posteriores contestaram os dados dos economistas, mas a tese principal

Vista de Belém do Pará em 1849.

se manteve. Se pensasse apenas no próprio bolso, o senhor de escravos investiria no cuidado de sua propriedade até o ponto em que esse investimento resultasse em evitar revoltas, doenças ou qualquer tipo de prejuízo. É uma lógica estranha, perturbadora e economicamente razoável.

Como os chineses ou russos que se venderam como escravos, Joanna deveria estar tão faminta e miserável que viu na escravidão uma forma de conseguir o básico – roupas, comida e abrigo. Hoje em dia acreditamos que a classificação mais importante do Brasil escravista era "escravo" ou "livre". Mas para muitos brasileiros pobres da época a distinção mais relevante era entre ter e não ter o que comer. Um escravo poderia se considerar afortunado diante de um livre miserável, pois ao menos tinha comida, roupas e abrigo – e, no caso de Joanna, algumas joias. Se a economia não avançava e a pobreza predominava sobre as famílias livres, era comum elas voltarem à escravidão depois de uma ou duas gerações. "A decisão de Joanna mostra que ela conhecia bem o mundo em que vivia, onde a escravidão não era necessariamente intolerável, assim como a liberdade não era sempre livre de problemas ou paradoxos", diz a historiadora Junia Furtado.[11] Joanna Baptista vendeu a si própria para sobreviver.

Ao tomar essa decisão, Joanna ainda sairia com dinheiro na mão e joias pelo corpo. Oitenta mil-réis valiam mais de dez anos de salário de um empregado doméstico. "Numa época em que adornos pessoais denunciavam o status social, adquirir roupas e joias certamente entrou em sua consideração",[12] diz a historiadora Barbara Sommer, do Gettysburg College, nos Estados Unidos. "Libertada da difícil tarefa de alimentar e vestir a si própria, como uma escrava, Joanna podia rodar pelas ruas recentemente pavimentadas de Belém com seu ouro e sua dignidade." Joanna Baptista se vendeu como escrava para ganhar status.

Há outro motivo, não tão fácil de se revelar. A escravidão de índios estava proibida desde 1755, mas isso não impedia o reino português e seus governadores locais de interferirem na vida dos moradores e os obrigarem a trabalhar por salários. O costume de recrutar pobres ou desocupados era muito comum em todo o Brasil. Até mesmo delegados de polícia poderiam forçar mendigos ou vagabundos a se engajar numa força de trabalho ou em alguma fazenda.[13] Telo de Meneses, o governador do Pará naqueles anos, era especialmente dedicado a projetos de engenharia social. Com a ideia de que os índios e cafuzos formavam "uma multidão de gente ociosa e inútil, que vivia em contínua vadiação", ele transferia povos à força, obrigava-os a trabalhar e tentava criar aldeias em áreas de fronteira. Não costumava dar certo: a maioria dos deslocados acabava voltando para a cidade, pois achavam o trabalho doméstico mais fácil e estável que a vida no meio do mato ou em grandes fazendas.

Para a historiadora Barbara Sommer, Joanna decidiu vender a si própria para escapar dos reassentamentos e, como seus pais, levar uma vida simples e estável como empregada doméstica. O próprio governador Telo de Meneses, na carta ao Secretário de Estado da Marinha e Ultramar, conta que essa foi a real intenção por trás daquele negócio. "Depois de haver feito aldear já para cima de 900 almas", conta ele, "me chega a notícia do novo escandaloso meio por que a cafuza Joanna Baptista, uma das procuradas para ser aldeada, pretendia subterfugir-se a aquela diligência." Joanna Baptista se vendeu como escrava para proteger sua liberdade contra o Estado.[14]

Não se sabe se a estratégia deu certo. O governador conta que, logo depois de saber do contrato de venda, mandou prender a jovem e o seu comprador. Joanna foi enviada à "aldeia a que estava destinada" e "o seu indigno comprador foi castigado segundo o merecimento de seu atentado". Mas o governador não estava certo da decisão, por isso pediu ajuda ao chefe sobre qual seria a atitude mais correta. "Rogo a Vossa Excelência para que, melhor ponderadas as circunstâncias, haja V. Exa. de determinar-me o que em tal caso devo praticar, ou se esta venda é válida, justa e permitida pelas pias leis de Sua Majestade, para que segundo a sua alta resolução possa eu competentemente satisfazer as minhas obrigações." Não há registros sobre a decisão dos superiores do governador.

GREGÓRIO

EM 1789, UMA REVOLTA de escravos ocorreu no Engenho de Santana, em Ilhéus. Liderados por um negro chamado Gregório Luís, cinquenta escravos mataram o feitor e tomaram o poder do engenho. Ficaram por ali durante dois anos, até o governo baiano enviar uma expedição militar para debelar a revolta. Sob ataque, os rebeldes escreveram uma proposta de paz ao proprietário do engenho. Disseram eles: "Meu senhor, nós queremos paz e não queremos guerra; se meu senhor quiser paz há de ser nessa conformidade."

O manifesto dos rebeldes é um documento raro da escravidão brasileira vista pelos próprios escravos. Nos Estados Unidos e em outros países de cultura protestante, que desde o início pregava a leitura e interpretação pessoal da Bíblia, mais pessoas sabiam ler e tinham o hábito de escrever cartas e diários. No Brasil católico, poucos cativos escreviam, e ainda menos testemunhos sobreviveram até os dias de hoje. O tratado de paz escrito por Gregório Luís e seus colegas é uma preciosidade que descreve diversas características da escravidão brasileira.

Não nos há de obrigar a fazer camboas nem a mariscar, e quando quiser fazer camboas e mariscar mandes os seus pretos minas. Para o seu sustento tenha lancha de pescaria ou canoas do alto, e quando quiser comer mariscos mande os seus pretos minas.*

Esse trecho mostra que havia discriminação, hierarquia e status diferentes entre os escravos. Alguns deles acreditavam pertencer a uma elite e não gostavam de se misturar com outros ou trabalhar em atividades menos nobres. No Rio de Janeiro, por exemplo, o pintor francês Jean-Baptiste Debret percebeu a "vaidade do escravo operário de um homem rico, mandando carregar, por negros de ganho, seu banco de carpinteiro ao se encaminhar para o trabalho".[15]

Escravos domésticos, que viviam o dia a dia com os senhores e seus filhos, tinham em geral uma vida mais fácil e mais importância nas fazendas. A discriminação mais comum era contra os recém-chegados da África. O termo "pretos minas" do manifesto de Gregório Luís poderia significar tanto africanos vindos da Costa da Mina ou, de forma mais genérica, qualquer negro vindo da África Ocidental. Escravos nascidos no Brasil ou há muito tempo por aqui, e que já falavam português, se sentiam superiores aos africanos, chamados de "boçais". Em Minas Gerais, negros abrasileirados montavam irmandades religiosas para construir igrejas – e não deixavam que recém-chegados ingressassem nelas. Como Gregório Luís, muitos crioulos não suportavam a humilhação de se submeter ao mesmo trabalho que negros africanos. Revoltavam-se e, ao negociar a paz, exigiam status mais alto que os "pretos minas".

---

*Cercado formado na maré alta que retém peixes na baixa-mar.

Em cada semana nos há de dar os dias de sexta-feira e de sábado para trabalharmos para nós não tirando um destes dias por causa de dia santo. Para podermos viver nos há de dar rede, tarrafa e canoas.

Faça uma barca grande para quando for para a Bahia nós metermos as nossas cargas para não pagarmos frete.

Poderemos plantar nosso arroz onde quisermos, e em qualquer brejo, sem que para isso peçamos licença, e poderemos cada um tirar jacarandás ou qualquer pau sem darmos parte para isso.

Na maioria das fazendas do Brasil, do Caribe e dos Estados Unidos, os escravos tinham direito a uma pequena roça e algum dia livre para cultivá-la. "O método comum de sustentar o escravo é dando a ele dois dias, sábado e domingo, quando produzem o suficiente para si próprios e para a família para os outros cinco dias", escreveu o inglês Charles Darwin ao visitar uma fazenda de café no Rio de Janeiro, em 1832.[16] Os historiadores chamam esse direito de "brecha camponesa". Para os escravos, era um modo de ter alguma propriedade e cuidar da própria vida. Para os senhores, a brecha camponesa aliviava o problema da alimentação dos negros e os fixava às fazendas, o que evitava fugas. O tamanho das roças e os dias a que os escravos queriam ter direito foram motivo de exigências e revoltas por toda a América. No Caribe, muitas revoltas tiveram como principal reivindicação mais acesso e tempo para as próprias roças.[17] Em 1789, escravos tanto de São Domingos (atual Haiti) quanto da Bahia passaram a exigir três dias livres por semana (de sexta a domingo) para seus assuntos pessoais. Gregório Luís, como mostra o tratado de paz, pedia ainda que seu proprietário ajudasse a transportar a produção dos escravos para Salvador.

A estar por todos os artigos acima, e conceder-nos estar sempre de posse da ferramenta, estamos prontos para o servirmos como dantes, porque não queremos seguir os maus costumes dos mais engenhos. Poderemos brincar, folgar, e cantar em todos os tempos que quisermos sem que nos impeça e nem seja preciso licença.

Sim, é isso mesmo: Gregório Luís e seus colegas exigem o direito de brincar e fazer festa quando quiserem. É um pedido que mesmo funcionários bem pagos de empresas descoladas teriam vergonha de fazer hoje em dia. Como é possível haver uma exigência como essa num sistema tão terrível quanto a escravidão?

É possível porque a escravidão não estava baseada somente em incentivos negativos – castigos ou ameaças de retaliações. Ser cruel demais, disparando chicotadas ou exigindo jornadas de dez ou catorze horas, poderia aumentar os lucros a curto prazo, mas com o tempo o senhor sofreria um revés. Os escravos poderiam adoecer, se revoltar, incendiar instalações, sabotar a produção ou simplesmente fugir, e isso tudo resultaria em prejuízo para o proprietário da fazenda. Ter escravos leais e contentes (por mais contraditório que seja) facilitava os negócios.

Os fazendeiros da época sabiam disso. Muitos autores do Brasil escravista afirmaram que era mais lucrativo pegar leve com os trabalhadores. "O senhor deve ser severo, justiceiro e humano", escreveu o barão de Pati do Alferes no livro *Memória sobre a fundação e custeio de uma fazenda na província do Rio de Janeiro*, de 1847. Escrito como um compêndio de dicas do barão para seu sobrinho, esse livro se tornou um manual do fazendeiro do século 19. O barão aconselha os senhores a manter os escravos sob disciplina rígida, mas evitar

PÁGINA AO LADO

Escravo posando em estúdio. *Foto de João Goston, Salvador, 1870.*

aborrecê-los demais. Recomenda dar domingos e feriados de descanso, reservar lotes para os escravos cuidarem das próprias roças e evitar separar famílias. Conta até que costumava dar prêmios de 40 réis para os escravos mais produtivos. "O extremo aperreamento desseca-lhes o coração. Endurece-os e inclina-os para o mal", diz ele.

Em 1854, cafeicultores da cidade de Vassouras, no Rio de Janeiro, escreveram uma lista de instruções para seus colegas evitarem revoltas dos negros. Das seis recomendações, uma defende o direito a roças próprias: "Permitir que os escravos tenham roças. O escravo que possui nem foge, nem faz desordem." E outra fala do direito à diversão: "Permitir e mesmo promover divertimentos entre os escravos. Quem se diverte não conspira."[18] Esse interesse dos senhores no ânimo das senzalas dava algum poder de negociação aos escravos. Um pequeno grupo de rebeldes dificilmente conseguiria abolir a escravidão em todo o Brasil, mas poderia tentar negociar uma vida um pouco mais confortável.

Ou seja: as exigências de Gregório Luís eram comuns na época; assim como não era raro haver tratados de paz entre rebeldes ou quilombolas e a polícia, ou entre escravos rebeldes e seus donos. Gregório sabia muito bem o que estava fazendo ao fazer exigências, e não deve ter se surpreendido quando o dono do engenho aceitou o acordo de paz. Manuel da Silva Ferreira mandou avisar que acatava os pedidos e ainda prometeu alforriar o líder da revolta.

Mas era mentira. Quando baixaram as armas, os rebeldes foram presos e alguns deles foram vendidos para fazendas do Maranhão. Gregório Luís foi enviado para uma cadeia em Salvador. Em 1806, quinze anos depois do fim da revolta, ainda estava preso aguardando o julgamento.

LUIZ

NOTÍCIA DO *Correio Sergipense* de 26 de maio de 1860:

Fugiu a 21 de setembro [de 1859], do senhor Francisco José da Silva, morador de Pacainha, termo de Vilanova de Sergipe, o seu escravo Luiz, mulato cor de formiga; representa ter 15 anos; foi cria do finado Manoel Ignacio; ele é baixo, grosso, tem pés e mãos carnudas, cabelo um tanto solto, orelhas grandes, com um dente furado na frente e as unhas dos pés curtas e grossas; é beiçudo e de canelas grossas, tem sinais de chicote pela barriga, costas e pescoço, parecendo-se aquelas com cicatrizes de fogo. É muito ladino, alegre e contador de histórias; é oficial de charuteiro e sapateiro. Gosta de batuques. Roga-se às autoridades a sua captura; qualquer pessoa que o levar a seu senhor será generosamente paga.

O castigo de
um escravo.
*Desenho de
Charles Landseer,
1825-1826.*

ANTONIO, O CHINÊS

DONA MARIA DE VILHENA tinha diversas propriedades a listar quando redigiu seu testamento, em 1562. Filha do governador português da colônia de Sofala, em Moçambique, ex-mulher de um navegador e viúva do capitão de Diu, na Índia, essa nobre portuguesa havia acumulado prédios em Évora, terras na região do Alentejo, móveis com detalhes de ouro, joias, vestidos de seda e escravos. Como uma típica dama portuguesa da época, ela destinou em seu testamento dinheiro para a caridade e para a construção de uma capela, deu liberdade a seus escravos e reservou algum dinheiro a eles. Mas o que mais desperta atenção no testamento de Maria de Vilhena é um detalhe sobre a origem dos seus criados. Eles formavam "uma coleção antropológica", como chamou o historiador português Gabriel Pereira.[19] Entre os quinze cativos, havia uma mulher branca, três indianas, um casal de mouros e um chinês chamado Antonio.

Africanos foram a imensa maioria dos escravos negociados pelo reino português, mas não foram todos. Até o século 17, árabes, indianos, chineses, japoneses, eslavos, turcos, berberes (nômades do deserto do Saara), guanches (nativos das ilhas Canárias), eslavos e muitos outros povos também ocuparam os cativeiros europeus. A escrava branca de dona Maria de Vilhena era provavelmente árabe ou eslava. Na Europa medieval, foi comum a escravidão de brancos, capturados nos Bálcãs e em outras regiões do Leste Europeu. Mas no século 15, depois que os muçulmanos conquistaram Constantinopla e fecharam a rota comercial dos Bálcãs, os escravos brancos se tornaram raríssimos na Europa. Mais comum era a escravidão de orientais como Antonio. Sobre esse escravo não sabemos nada além do fato de ser almocreve, um condutor de animais de carga, e ter sido alforriado por Maria de Vilhena. Mas sua existência indica a "amostra de muitos outros que, na época, existiam no país", escreveu o historiador Gabriel Pereira.[20]

O viajante e mercador florentino Filippo Sassetti, que morou em Lisboa entre 1578 e 1582, se surpreendeu com a diversidade dos escravos da cidade. "Os japoneses", diz ele, "gente cor de azeitonas, e que aqui exercitam qualquer trabalho com proficiência, têm rosto pequeno e no resto altura razoável." Já os chineses, "sem pálpebras e de olhos pequenos como se tivessem sido furados com um prego", conforme a descrição do italiano, "são homens de grande intelecto e exercitam todas as profissões igualmente bem, especialmente na cozinha". Dos indianos havia dois tipos: muçulmanos e "gentios", como os europeus da época chamavam os povos pagãos. A rua Jau, em Lisboa, tem esse nome em homenagem ao escravo jau (natural da ilha de Java) de Luís de Camões, o célebre autor de *Os lusíadas*.

O Brasil só se tornou a principal colônia portuguesa no fim do século 17, quase duzentos anos depois de receber a esquadra de Pedro Álvares Cabral. Até então, as colônias da

Ásia atraíam a maior parte dos mercadores, navegadores, missionários jesuítas e traficantes de escravos. O enorme Estado Português da Índia incluía dezenas de fortalezas e colônias muito além do território indiano atual. Começava em Moçambique, na costa oriental da África, e passava por diversas possessões da costa da Índia, como Bombaim, Calicute, Cochim, Diu e a capital do Estado Português, Goa. Na atual Indonésia, os portugueses conquistaram as ilhas Molucas, as misteriosas "ilhas das especiarias" cuja localização mercadores árabes mantiveram em segredo por séculos, já que eram as únicas fornecedoras de especiarias valiosas como noz-moscada e cravo-da-índia. O português foi a língua franca da Ásia dos séculos 16 e 17, papel que o inglês ocupa hoje. O Estado Português da Índia terminava em Nagasaki, no Japão – onde portugueses estabeleceram uma comunidade vibrante até serem expulsos do país, em meados do século 17. Em 1600, enquanto jesuítas no Brasil se esforçavam para catequizar os primeiros índios, a comunidade cristã do Japão contava com 95 missionários e mais de 300 mil seguidores.

A colonização portuguesa deixou marcas que existem até hoje. A maior cidade do Sri Lanka, Colombo, guarda o nome dos tempos da colonização portuguesa. A Malásia ainda hoje tem uma pequena comunidade de pescadores cristãos, descendentes dos colonizadores portugueses de Malaca, que falam a língua cristang, uma mistura de português com malaio. Macau, na China, que tem o português como uma das línguas oficiais, foi colônia portuguesa por mais de quatro séculos – o domínio só voltou para a China em 1999.

Diversos donatários de capitanias hereditárias e ocupantes de cargos administrativos no Brasil viveram nas colônias da Ásia. Dom Pero Sardinha, o primeiro bispo a se estabelecer no Brasil, foi vigário-geral de Goa antes de sua mudança para a Bahia. Martim Afonso de Sousa, nosso primeiro colonizador, atuou como capitão-mor do Mar das Índias. Um dos primeiros portugueses a pisar na China, em 1517, foi Duarte Coelho, que depois se tornaria donatário da capitania de Pernambuco e fundador da cidade de Olinda. O rodízio de administradores portugueses durou até perto da Independência. Bernardo Lorena, que foi governador de São Paulo em 1797 e depois de Minas Gerais, tornou-se vice-rei da Índia em 1806; Francisco Pimentel, o Visconde de Mirandela, chefiou a província de Santa Catarina antes de ser governador da Índia entre 1794 e 1807.[21]

Entre os povos que os portugueses conheceram no Oriente, é difícil achar aquele que não conhecia um ou outro tipo de escravidão. Chineses se tornavam escravos por um processo muito parecido ao da África. Prisioneiros de guerra, criminosos, órfãos e principalmente filhos de famílias miseráveis facilmente viravam escravos. Nos dois continentes, um argumento frequentemente usado para justificar a escravidão era o de poupar vidas de pessoas que estavam condenadas à morte. "Como o infanticídio feminino era uma prática corrente na China, muitos chineses, pressionados pela miséria, em vez de matarem as suas filhas, vendiam-nas aos portugueses", dizem as historiadoras Leonor Diaz de Seabra e Maria de Deus Beites Manso, da Universidade de Macau. "Outros roubavam-nas ou compravam-nas aos seus conterrâneos para as revenderem em Macau."[22] Por exemplo, em 1717, quando o rei português Dom João V proibiu o tráfico de crianças chinesas, o vice-rei da Índia o alertou de que, se os chineses não pudessem vender seus filhos, "seus pais simplesmente os matariam".[23]

Como na África, a chegada dos europeus tornou mais intenso um mercado de escravos que existia havia muito tempo. Assim que os portugueses fundaram Macau, "começaram os chinas a trazer àquela cidade meninos e meninas, ordinariamente infantes até a idade de 7 anos, raríssimas vezes de 10 ou 12 e nunca de idade maior", contou, no século 18, o padre Caetano Lopes. "Vendiam-nos aos macauenses, os quais, como floresciam em riquezas, faziam com muito gosto as ditas compras."[24] Em seguida, como também aconteceu na África, senhores da guerra locais começaram a invadir povoados para capturar escravos e revendê-los aos europeus.

Começou assim um ativo comércio de escravos no Oriente. Com a união das coroas de Portugal e Espanha entre 1580 e 1640, o mercado das colônias espanholas na Ásia se abriu aos portugueses (ainda que leis proibissem o comércio direto entre colônias dos dois reinos). Por esses mercados circulava muito mais riqueza que nas colônias portuguesas. Carregamentos de ouro e prata obtidos no México cruzavam o oceano Pacífico até Manila, a capital das Filipinas. Em troca desses metais, os portugueses ofereciam gente. "Mercadores portugueses traficaram escravos indianos e do sul da Ásia, tendo o papel de principais fornecedores de escravos do sul da Índia, birmaneses, malaios, javaneses e outros escravos da Ásia para as Filipinas", conta o historiador Richard Allen. Nem todas as pessoas negociadas nas Filipinas paravam por ali. Houve um pequeno número de escravos chineses enviados para trabalhar na África, na colônia portuguesa em Moçambique. E alguns deles fizeram a rota Manila-Acapulco, tornando-se escravos no México. Entre imigrantes, navegadores e escravos, cerca de 100 mil asiáticos se mudaram para a América até o fim do século 17.[25]

Em 2013, pesquisadores portugueses e japoneses encontraram em arquivos da Inquisição mexicana um documento que comprova a presença de asiáticos no México. Uma lista de escravos constava no processo contra um mercador português de sobrenome Perez, preso em 1596 por suspeita de judaísmo. Entre os cativos, havia três com nome cristão – Fernandes, Miguel e Ventura – e a observação "xapon" no campo da origem. Sobre um deles, Gaspar, sabe-se que nasceu na cidade de Oita, no sul do Japão, e foi vendido aos 8 anos por um comerciante japonês ao português Perez. Já Miguel foi comprado por Perez na Espanha em 1594. Antes de milhões de africanos cruzarem o Atlântico nos navios negreiros, asiáticos ocupavam cativeiros na América.

Como também aconteceu no Brasil e em Portugal, o convívio entre senhores e principalmente escravos domésticos costurou laços de lealdade e afeto. Mais uma vez, são os testamentos que dão essa impressão. Muitos senhores deram a liberdade e reservaram algum quinhão da herança a seus escravos. Como Luísa Pereira, que em seu testamento de 1631 declarou: "...a bicha por nome Antônia nascida em minha casa de idade de 19 anos deixo forra e lhe deixo 100 pardaus de reales para seu casamento e assim mais o rosário de coral com seus extremos de ouro." "Bicha" era o termo que se usava em Macau para designar chinesas escravas ou muito pobres.[26]

Alguns hábitos orientais tiravam os europeus do sério. O jesuíta Matteo Ricci escreveu indignado sobre a quantidade de meninos que se tornavam escravos sexuais na China. "Há ruas públicas cheias de rapazes assumidos como prostitutos. E há gente que compra esses meninos e os ensina a tocar música, cantar e dançar. E então, vestidos galantemente e maquiados com ruge, como mulheres, esses miseráveis homens são iniciados nesse terrível vício", escreveu o padre.[27]

A escravidão sexual de meninos e meninas escandalizou missionários e líderes locais e europeus. Os jesuítas, tentando evangelizar os povos e fazer com que eles se comportassem conforme os ensinamentos da Bíblia, se incomodavam ao ver seus compatriotas portugueses e espanhóis comprando jovens para serem escravos sexuais. Esse comportamento não exatamente seguia os mandamentos de Deus. Em 1567, bispos católicos se reuniram num concílio provincial em Goa para discutir os parâmetros morais da escravidão. Consideraram dentro da lei a escravidão em cinco casos: se a pessoa tivesse nascido de mãe escrava, se tivesse vendido

Os primeiros imigrantes chineses no Brasil vieram de Macau para cultivar chá no Rio de Janeiro.

a si própria à escravidão ou o fosse pelos próprios pais, se tivesse se tornado escrava como prisioneiro de guerra ou por castigo a algum crime.[28]

Fora esses motivos, a escravidão era ilegal, e os jesuítas trataram de pressionar as autoridades a combatê-la. Por pressão dos missionários de Nagasaki, em 1571 o rei Sebastião proibiu a escravização de japoneses. A essa lei se seguiram muitas outras tentando reprimir o tráfico de escravos na Ásia, mas nenhuma delas vingou. Em 1595, o vice-rei de Goa estabeleceu uma multa de mil cruzados (o equivalente a cinquenta crianças escravas) e dois anos de prisão aos portugueses que negociassem chineses. Trinta anos depois, o rei espanhol Filipe IV proibiu, mais uma vez, a escravidão chinesa. Até Mán-Lék, o líder máximo chinês, imperador da dinastia Ming, legislou sobre o assunto, proibindo que portugueses comprassem súditos dele.

"Era pregar no deserto", diz o historiador português Arlindo Manuel Caldeira. "As medidas, vindas da China ou de Portugal, caíam em saco roto e o tráfico continuava como se nada fosse."[29] Como até mesmo os administradores coloniais continuaram mantendo chineses entre seus escravos, mais proibições surgiram no século 18. Dom João V pediu ao vice-rei da Índia, em 1717, que interceptasse todo navio que transportasse meninas chinesas para fora de Macau. Em 1744, foi a vez de o imperador Qianlong proibir que os chineses vendessem seus filhos. Um basta na escravidão chinesa só aconteceu quando o Marquês de Pombal declarou, em 1758, que seriam declarados livres todos os chineses em situação de cativeiro.

O historiador Alberto da Costa e Silva acredita que o principal fator a restringir a escravidão asiática para a América ou a Europa não foram as proibições impostas pelas autoridades, mas o custo de oportunidade.[30] O tráfico de escravos por ali não foi tão intenso quanto na África porque os navegadores tinham lucros maiores ao embarcar pimenta, cravo, canela e seda nos navios. Do Oriente até o Brasil ou Portugal a viagem era longa demais: custava muito caro manter escravos alimentados e hidratados, ainda que pessimamente. Já na África a "carga humana" era a mercadoria mais valiosa e o custo da viagem, bem menor. Por isso ao longo do século 17 os africanos passaram a ser a imensa maioria dos escravos na Europa e na colônia portuguesa do Brasil. O termo "escravo" aos poucos se tornou quase um sinônimo de "negro", como infelizmente é até hoje. E as histórias de escravos asiáticos como Antonio, o almocreve de dona Maria de Vilhena, desapareceram da memória dos portugueses.

Ainda assim, era possível ver um ou outro cativo chinês em Portugal no século 18. Três deles chegaram a Lisboa em 1730, como propriedade do administrador português Francisco de Melo e Castro. Como Castro morreu logo depois de chegar à cidade, os escravos foram arrolados entre seus bens e vendidos num leilão público. O chinês Pedro foi comprado pelo padre carioca Manuel Monteiro, mas logo depois entrou na Justiça exigindo liberdade. O tráfico de chineses já estava proibido, portanto Pedro podia afirmar que sua escravidão era ilegal. Percebendo que perderia a ação, o padre Monteiro retirou Pedro de Lisboa e se preparou para viajar ao Brasil. Não sabemos o final da história, mas há uma chance de esse escravo chinês ter desembarcado e vivido no Rio de Janeiro.

ESPERANÇA

NO DIA 6 DE SETEMBRO de 1770, a escrava Esperança Garcia mandou uma carta ao governador do Piauí. Vivia num inferno desde que o seu senhor, o capitão Antônio Vieira Couto, a tirou da fazenda onde ela morava com o marido e os filhos e a levou para ser sua cozinheira. Na carta, Esperança denunciou duas crueldades praticadas pelo capitão:

> *A primeira é que há grandes trovoadas de pancadas em um filho meu, sendo uma criança, que fez extrair sangue pela boca. Em mim não posso explicar que sou colchão de pancadas, tanto que caí uma vez do sobrado abaixo; por misericórdia de Deus escapei.*
>
> *A segunda: estou eu e minhas parceiras sem confessar há três anos. E há uma criança minha e outras duas mais por batizar.*
>
> *Pelo que peço a V.S. pelo amor de Deus e do seu valimento ponha os olhos sobre mim ordenando o procurador que me mande para a fazenda de onde ele me tirou.*[31]

Esperança vivia na Fazenda dos Algodões, na região de Oeiras, então capital do Piauí. Tratava-se de uma fazenda de

Il.mo S.r

[illegible] de [illegible]

Eu Sou hua escrava de V.S.a da administração do Cap.m
Ant.o Vi.ra de Couto, Cazada. Desde q o Cap.m la
foi ademinis[trar], q me tirou da fazenda dos algodois, aonde
[vevia] com meu marido para ser Cozinheira de sua Caza,
onde nella passo m.to mal.

A Primeira he q ha grandes trovoadas de pancadas em hum
Filho meu sendo hua Criança q lhe fez estrair
sangue pella boca, em mim não poço esplicar q Sou
hu Colchão de pancadas, tanto q Cahy hua vez do so[brado]
abacco peiada, por [mizericordia] de Ds esCapei.

A segunda estou eu e mais minhas parceiras por
Confeçar a tres annos. E hua Criança minha e duas [mais]
por Batizar.

Pello q Peço a V.S. pello amor de Ds [e do]
Seu Valim.to ponha aos olhos em mim ordinando digo
mandar a Procurador q mande p.a a fazd.a aonde elle me tirou
p.a eu viver Com meu marido e Batizar minha Filha

De V.S.a sua escrava

Esperança garcia

gado que tinha sido criada pelos jesuítas. Em 1760, depois de o Marquês de Pombal expulsar os missionários de todo o reino português, as propriedades da Companhia de Jesus foram incorporadas ao patrimônio da Coroa. Algodões se tornou assim uma fazenda estatal, uma "fazenda da nação", como se dizia na época.[32] Na sede em Nazaré, o capitão administrava aquela e outras fazendas reais. Como ele era um funcionário do reino, Esperança achou por bem denunciá-lo ao chefe.

PÁGINA AO LADO

A carta de Esperança Garcia: "... sou colchão de pancadas".

Com a carta da escrava foi encontrado outro documento, sem data ou assinatura, mas que parece escrito por um representante dos escravos. De acordo com esse manuscrito, o capitão não concedia a Esperança tempo algum para ela "fazer vida com seu marido". Para encontrá-lo, ela dava escapadas que enfureciam o capitão: "Uma quinta-feira deu muita bordoada com um pau e com ela no chão." O senhor ameaçou amarrá-la para assim pôr fim às fugas, mas antes disso Esperança "se retirou com dois filhos, um nos braços, de 7 meses, e outro de 3 anos; até o presente não tem tido notícia dela". Enquanto a escrava não voltava, a brutalidade do administrador Antônio Couto se direcionou aos outros escravos. "Todas as noites trabalham sem descanso algum", diz o texto. Não tinham acesso a boa comida, pois o capitão recolhia toda a farinha produzida na fazenda para vendê-la. O manuscrito termina com um apelo desesperado:

> *Como pai e Sr. põe os olhos de piedade em ver estas lástimas porque abaixo de Deus não tem quem fale por estes mais que a misericórdia de V. Sa., pois os ditos escravos não tem outro jazigo senão o amparo de V. Sa.*[33]

Os sofrimentos pelos quais Esperança, seus filhos e colegas passaram confirmam o que aprendemos na escola sobre a crueldade da escravidão brasileira. O que surpreende nessa história é o fato de uma simples escrava do sertão pecuarista do Piauí saber ler e ter coragem de escrever uma carta à principal autoridade da região. "Os arquivos estão povoados de requerimentos, abaixo-assinados, ofícios, petições, processos, quase invariavelmente assinados por homens", escreveu o historiador Luiz Mott, que em 1979 descobriu o caso de Esperança no Arquivo Público do Piauí. "A descoberta de uma carta manuscrita por uma escrava representa algo duplamente insólito. Primeiro, por se tratar de uma mulher que ousa se dirigir por escrito diretamente ao governador da capitania; segundo, por se tratar de uma escrava."[34]

Também é notável que as exigências de Esperança revelem valores conservadores. Ela se indignou porque não podia se confessar e não conseguia batizar os filhos. Não pediu ao governador a liberdade nem dá pistas de planejar uma revolta. Só queria a garantia de uma vida pacata com a família. A carta mostra também que maus-tratos exagerados motivavam denúncias, processos contra os senhores e ações de liberdade movidas pelos cativos. Dentro da injustiça essencial da escravidão havia comportamentos que escravos e boa parte dos senhores consideravam inaceitáveis. Boa parte, mas não todos.

Sobre o final da história de Esperança, a única pista que historiadores encontraram foi uma lista dos escravos que viviam na Fazenda dos Algodões em 1778. Entre os dezoito listados, aparece um negro de 57 anos com o nome de Inácio, marido da escrava trinta anos mais nova chamada Esperança. A relação ainda informa que os dois têm sete crianças.[35] É reconfortante acreditar que essa Esperança é a autora da carta e que, depois de o governador ter atendido seus pedidos, ela voltou para a fazenda e viveu em paz com a família.

RUFINO

EM SETEMBRO DE 1853, circulou entre as autoridades de Recife o boato de que negros livres planejavam uma revolta em conjunto com escravos de engenhos. Para averiguar a suspeita, policiais visitaram dezenas de casas de negros à procura de armas, escravos fugidos ou pistas de uma conspiração. Não encontraram nada errado na maioria das casas, apenas "muita tranquilidade em seus respectivos donos", como escreveu o subdelegado que coordenou a investigação.[36] Mas houve um homem que intrigou os policiais – o negro Rufino José Maria.

"Ancião e gordo", com "uma fronte inteligente, ornada de um lenço branco em forma de turbante, e um ar abatido, posto que calmo, é nada menos do que uma espécie de sacerdote muçulmano", contou o *Jornal do Commercio* semanas depois. Apesar de viver havia muitos anos no Brasil, tinha um sotaque carregado e uma "fisionomia um não sei quê, que chama a atenção e impressiona para quem se olha".

Não havia nada incriminador na casa de Rufino, mas ele tinha uma aparência tão misteriosa e vivia entre objetos tão estranhos – um boneco de pau, cordões, amuletos, rosários, tabuletas, livros e maços de papéis escritos em árabe – que foi levado à delegacia para um interrogatório. Sua religião o tornava suspeito: o islamismo era associado a insurreições escravas desde 1835, quando estourou em Salvador a Revolta dos Malês, conflito liderado por negros muçulmanos.

As histórias que Rufino contou no interrogatório fascinaram os policiais da época e os historiadores dos dias de hoje. O homem era o século 19 em pessoa, alguém que por acaso viveu diversos momentos relevantes da história do Brasil e da África da primeira metade daquele século.

Rufino nasceu em Oyó, reino Iorubá que disputava poder com os vizinhos da atual Nigéria. No século 18, esse reino montou uma cavalaria militar mais avançada que a dos adversários. Invadia povoados e transformava os derrotados em escravos para serem vendidos ou usados no serviço doméstico e no próprio exército. Comerciantes de Oyó também obtinham escravos das enormes caravanas de mercadores que negociavam tecidos, grãos, peças de marfim, ouro, peles de animais e escravos do interior da África. Essas mercadorias eram revendidas a navios negreiros pela cidade de Porto Novo, hoje a capital do Benim.

Mas quando Rufino nasceu, no começo do século 19, o reino de Oyó estava em decadência. A partir de 1804, aconteceu ali uma grande revolta de escravos Hauçás, muçulmanos vindos do atual norte da Nigéria e sudoeste do Níger *(veja o mapa nas páginas 62–63)*. Inspirados por uma *jihad*, uma guerra santa, os escravos fugiram de seus donos, se uniram a invasores do norte e iniciaram guerras civis que despedaçaram o domínio de Oyó. O povo até então escravista se tornou vítima da escravidão. Entre 1800 e 1850, pelo menos 75 mil escravos partiram da região de Oyó com destino à América.[37] Foi o que aconteceu com Rufino, conforme o que ele contou aos policiais de Recife. Foi capturado pelos Hauçás e, aos 17 anos, embarcado num navio negreiro rumo à Bahia.

O rapaz deveria estar cansado de viver entre guerras na África; no entanto mais conflitos o esperavam do outro lado do Atlântico. Rufino chegou a Salvador justamente "na época da guerra do Madeira", como contou aos policiais. Era a Guerra da Independência na Bahia. Em fevereiro de 1822, o brigadeiro português Madeira de Melo foi nomeado comandante militar da província da Bahia, destituindo um brigadeiro brasileiro. Como os portugueses eram geralmente contrários à autonomia do Brasil em relação a Portugal, a nomeação do brigadeiro enfureceu os militares brasileiros. Contra a nomeação do brigadeiro Madeira, eles se aquartelaram no Forte São Pedro, em Salvador. Os portugueses atacaram o forte dias depois, o que aprofundou o clima antiestrangeiro entre os baianos.

O povo saqueava e apedrejava lojas portuguesas gritando "Morte aos europeus!"; os portugueses revidavam. "Todas as noites [famílias europeias] são atacadas, a todo momento são espancadas", contou Maria Bárbara de Madureira, dona de um engenho de cana-de-açúcar, numa carta a seu marido na Europa. "Os soldados negros e os batalhões de mulatos percorrem as ruas, roubando e maltratando os portugueses e alguns estrangeiros, insultando o governo do Rio de Janeiro e gritando morte ao imperador, morte aos portugueses e janeiristas, com a independência e a República", escreveu o cônsul francês Jacques Guinebaud.[38] Quase trezentas pessoas morreram em quatro dias de brigas e quebra-quebras.

Derrotados no Forte São Pedro, os militares brasileiros fugiram para vilas do Recôncavo Baiano como Cachoeira, na época a segunda maior cidade baiana, hoje uma interessante cidade histórica. De lá, com a ajuda de tropas e navios enviados do Rio de Janeiro por Dom Pedro I, montaram um bloqueio terrestre e marítimo que impedia a chegada de mercadorias a Salvador. Durante um ano e três meses a capital baiana viveu um racionamento de comida. A Guerra da Independência na Bahia terminou em 2 de julho de 1823, quando Madeira de Melo admitiu a derrota e fugiu para Portugal acompanhado de mais de 10 mil pessoas.

Muitos escravos participaram da resistência brasileira, mas não se sabe se Rufino estava entre eles. O que os registros atestam é que ele foi comprado pelo brasileiro João Gomes da Silva, o principal boticário da cidade. João Gomes era professor de química farmacêutica do Colégio Médico-Cirúrgico da Bahia e fornecedor de medicamentos para a Santa Casa de Misericórdia em Salvador. Rufino trabalharia como cozinheiro do boticário por oito anos – e nesse tempo provavelmente aprendeu não só a cozinhar, mas a misturar ervas, raízes, poções e fabricar pomadas e infusões no laboratório do boticário, dando início a sua profissão de cozinheiro e feiticeiro.[39]

A vitória dos baianos na Guerra da Independência teve seu preço. A maior parte dos negociantes e comerciantes da Bahia eram portugueses – quando foram embora, levaram o dinheiro com eles. Os baianos perderam consumidores, revendedores para o mercado europeu e investidores nos engenhos e plantações de fumo. A importância de Salvador na economia brasileira aos poucos encolheu, enquanto se expandia a do Sul e do Sudeste, aquecida com as fazendas de café, a grande fonte brasileira de riqueza do século 19, e a produção de charque do Rio Grande do Sul. À medida que o centro da economia se deslocava para o Sul, nasceu um mercado interno de escravos na mesma direção. Rufino foi um dos primeiros escravos a ingressar nesse fluxo.

Em 1829, o boticário João Gomes da Silva perdeu o contrato de fornecimento de remédios para a Santa Casa. Talvez por falta de trabalho para o escravo, Rufino foi vendido para um senhor de Porto Alegre. No depoimento aos policiais em Recife, disse que partiu para o Rio Grande do Sul "antes de Dom Pedro ir para Lisboa", ou seja, antes de 1831, quando o imperador deixou o país para disputar o trono português, dando início ao período regencial no Brasil. Rufino viveria tempo suficiente no Rio Grande do Sul para testemunhar outro grande conflito do século 19 – a Revolução Farroupilha.

Seu primeiro dono no Rio Grande do Sul faliu logo depois de adquiri-lo, fugiu de seus credores para Montevidéu e deixou o escravo como parte do espólio. Leiloado pelo governo gaúcho, Rufino foi arrematado por José Maria Peçanha, um desembargador que logo depois exerceria os cargos de deputado e chefe da polícia gaúcha. Em setembro de 1835, quando tropas de estancieiros e produtores de charque do interior gaúcho atacaram Porto Alegre exigindo a proclamação da República Rio-Grandense, Rufino era escravo de um dos principais homens responsáveis por manter a ordem na região.

No início da revolução, o desembargador Peçanha pareceu aderir aos farroupilhas. Compareceu às sessões do parlamento e chegou a participar do governo revolucionário. Meses depois, alegando problemas de saúde, pediu licença de seus cargos. Também decidiu negociar a alforria de seu escravo. Rufino disse aos policiais de Recife ter pago 600 mil-réis ao desembargador José Maria Peçanha (o equivalente a um ano do salário de um marinheiro). Livre, seguiu o costume da época de adotar o nome ou o sobrenome de seu senhor (por isso "Rufino José Maria") e decidiu afastar-se da Guerra dos Farrapos rumo ao Rio de Janeiro.

PÁGINAS SEGUINTES

África em 1818: o contato com os europeus intensificou o milenar comércio de escravos.

O TRÁFICO
DE ESCRAVOS
DA ÁFRICA
PARA O
MUNDO
Arguim
Senegâmbia
Serra Leoa
Costa do
Marfim
Costa
do Ouro
Daomé
Oyó
Benim
Hauçás
Baía do
Benim
Baía do
Biafra
África
Centro-Ocidental

Zanzibar
Sudeste da África
A largura das rotas indica o número de escravos transportados
8.000.000
4.000.000
2.000.000
1.000.000

Três grandes especialistas na escravidão brasileira – João José Reis, Flávio dos Santos Gomes e Marcus J. M. de Carvalho – publicaram uma excelente biografia sobre Rufino. Os três historiadores e seus assistentes vasculharam arquivos de Recife, Porto Alegre, Salvador, Rio de Janeiro e de Londres para achar provas do que Rufino contou em seu depoimento. Encontraram várias delas – como a sua carta de alforria, um recibo que ele assinou em 1843, processos judiciais em que aparece –, além de detalhes sobre os donos e parceiros de negócios do africano. Conseguiram até evidências de que talvez Rufino tenha mentido num ponto de seu depoimento.

Uma revolta de negros Malês ocorreu na cidade de Porto Alegre em 1838. Um mês depois, a polícia gaúcha deportou, por um navio, dois negros acusados de liderar o motim. Eles se chamavam José e... Rufino. Talvez seja o mesmo Rufino José Maria. Em seu depoimento em Recife, o africano pode ter preferido deixar de lado essa parte de sua vida. Como havia sido preso em Recife por suspeita de conspiração, não seria uma boa ideia contar aos policiais que fora expulso do Rio Grande do Sul por liderar uma revolta. Para os historiadores, talvez Rufino tenha "chegado ao Rio de Janeiro entre o final de 1838 e o início de 1839, e não três anos antes, como deixou transparecer no Recife em 1853, quando tinha boas razões para omitir a verdadeira história de sua saída do Rio Grande do Sul".

De uma forma ou de outra, no fim dos anos 1830 Rufino já estava no Rio de Janeiro. Com pouco mais de 30 anos, já havia passado por conflitos na África, na Bahia e no Rio Grande do Sul. Mas a parte mais aventurosa de sua vida ainda estava por vir. No Rio, Rufino arranjou um trabalho de cozinheiro – cozinheiro de navios negreiros.

Segundo o depoimento aos policiais de Recife,

Perguntado para onde se transportou do Rio Grande do Sul (...),
Respondeu que do Rio Grande do Sul veio para o Rio de Janeiro; que daí embarcara para a África na escuna 'Paula', como cozinheiro, e que d'África veio para esta província no patacho 'S. José' que era de um Brito morador n'África, e que veio na mesma qualidade de cozinheiro, que daqui seguiu para o mesmo lugar e no mesmo patacho que depois voltou com pretos Africanos, que desembarcaram no Cabo de Santo Agostinho.

Marinheiros e cozinheiros de navios negreiros ganhavam o direito de ocupar, na viagem de ida, parte da embarcação com produtos que gostariam de vender na África. Era um costume comum na marinha mercante – tripulantes de navios ingleses rumo à Índia também aproveitavam o espaço sobrando para levar cerveja que venderiam aos indianos ou aos colonizadores ingleses. Na volta, a viagem de um navio negreiro era muito mais extenuante para um cozinheiro, pois era preciso preparar comida para centenas de escravos recém-adquiridos, além dos tripulantes e talvez alguns passageiros. Os escravos comiam arroz, farinha de milho ou mandioca e, às vezes, carne-seca. Cabia ao cozinheiro gerir os alimentos com alguma precisão, para evitar mortes por fome ou disenteria. Se a mortalidade dos escravos passasse da média (entre 5% a 10% deles morriam na travessia do Atlântico), o cozinheiro poderia ser responsabilizado.

A segunda viagem de Rufino como cozinheiro foi a bordo de um navio ainda maior, o *Ermelinda*, capaz de carregar mais de 300 escravos. Ele aproveitou para embarcar por sua conta 180 caixas de doce de goiaba, que venderia na África

Libertados pela esquadra britânica, escravos fogem de navio negreiro (1869).

por quase 600 mil-réis (o mesmo valor que, anos antes, havia pago por sua alforria). O destino do navio era Luanda, mas, pouco antes de atingir a costa de Angola, o *Ermelinda* foi capturado pela armada britânica.

Logo depois de abolir o tráfico de escravos, em 1807, o Reino Unido criou uma esquadra para combater os navios negreiros que cruzavam o Atlântico. Também pressionou outros países a permitirem que a Marinha britânica interceptasse navios com suas bandeiras. A esquadra britânica vigiou a costa oeste africana entre 1808 e 1866 – nesse tempo capturou 1.600 navios negreiros, libertando 150 mil escravos. O bloqueio africano chegou a contar com 25 navios, 2 mil marinheiros britânicos e mil africanos. Quando interceptavam navios com escravos no porão ou com indícios de tráfico humano (como correntes, algemas ou caldeirões de comida), os britânicos levavam tripulantes e escravos para a cidade de Freetown, a capital da colônia de Serra Leoa. Ali, os acusados eram julgados por comissões internacionais, compostas por representantes britânicos e dos países dos envolvidos.

O *Ermelinda* também seria levado para Freetown, mas antes faria uma escala em Santa Helena, a pequena ilha no meio do Atlântico que servia como presídio britânico. Foi ali que, vinte anos antes, o imperador francês Napoleão Bonaparte morreu, depois de ficar seis anos preso pelos ingleses. Rufino e o capitão foram levados para a ilha a bordo do *Ermelinda*, enquanto a embarcação inglesa liberava os demais tripulantes no litoral de Angola. Não se sabe por que Rufino foi levado para Santa Helena, já que não passava de um cozinheiro. O que se sabe é que, ao chegar à ilha, ele se desentendeu com um dos oficiais ingleses, o capitão Richard Burstal. O inglês acusou Rufino de ter vendido algumas das panelas do navio; já o africano afirmou ter sido espancado pelo capitão. O relatório do oficial inglês, guardado até hoje no National Archives, em Londres, diz o seguinte:

> *Tendo sido informado por um dos tripulantes apreendidos que o dito cozinheiro havia vendido algumas das panelas da barca, este depoente foi conferir a veracidade da informação, mas o dito cozinheiro negou-se a deixar este depoente ver as panelas no compartimento da cozinha; este depoente então o tachou de ser o ladrão, quando então o cozinheiro chamou este depoente de cachorro. Este depoente então disse que, se ele não reunisse imediatamente todas as panelas, ele o mandaria para terra e o colocaria na cadeia, e ele mesmo assim recusou; este depoente então o segurou pela camisa e o arrastou para fora da cozinha, foi quando o cozinheiro agarrou este depoente, e este depoente então bateu nele com a mão e não com um cacete como foi dito pelo referido cozinheiro e que na briga tinha batido com a cabeça numa quina da cozinha, que causou um pequeno corte, e que, no final, ao contar as panelas, havia duas faltando.*

Depois de um mês em Santa Helena, Rufino e o capitão foram conduzidos pelos britânicos a Serra Leoa. Os julgamentos de tráfico de escravos levavam meses para se desenrolar, pois era preciso contatar os países dos acusados e esperar a chegada de seus representantes. Rufino teve a sorte de esperar seu julgamento em liberdade e, nos meses que permaneceu em Freetown, pôde circular pela cidade e conhecer alguns de seus moradores. Até 1841, quase 60 mil escravos haviam sido liberados pelos ingleses em Freetown. Entre os que partiam para suas vilas de origem e os que chegavam, moravam na cidade quase 40 mil africanos. Falavam cerca de quarenta línguas, mas a etnia de Rufino era de longe a mais comum – metade dos liberados eram Iorubás como ele. Em Freetown, Rufino começou a aprender o árabe e a aderir ao islamismo. Segundo o depoimento aos policiais de Recife, em Serra Leoa Rufino "demorou-se sete meses, onde continuou a aprender o árabe, de que já tinha princípio, com um preto que aí ensinava".

Quando o julgamento enfim aconteceu, em janeiro de 1842, uma surpresa: Rufino e seus colegas foram absolvidos da acusação de tráfico de escravos. O caso contra o *Ermelinda* foi o primeiro, até então, que resultou em absolvição dos acusados. Hermenegildo Niterói, o juiz brasileiro enviado a Serra Leoa, não viu provas suficientes para considerar o *Ermelinda* um tumbeiro. Como o navio foi apreendido no caminho de ida para a África, não havia escravos no porão. O juiz brasileiro acatou a versão do capitão, para quem as correntes encontradas pelos ingleses serviam para segurar os mastros. Em casos de divergência dos representantes da comissão mista de julgamento, a decisão saía por sorteio – que foi vencido pelo lado brasileiro. A tripulação do *Ermelinda* não só foi absolvida como ganhou uma indenização de 6.300 libras – uma fortuna para a época.

Rufino recuperou seu carregamento de goiabada e voltou a cruzar o Atlântico, dessa vez rumo a Recife. Passou oito meses por ali e logo voltou ao mar, rumo a Serra Leoa. Aprofundou os estudos islâmicos em Fourah Bay, um povoado muçulmano ao lado de Freetown, e só então voltou para o Brasil para dar fim a tantas viagens. Foi para o Rio de Janeiro e logo depois foi à Bahia, "para buscar seu filho Nicolau, que lá deixara, e depois veio fixar-se em Pernambuco, sem mais sair daqui". Depois de treze anos de escravidão, nove travessias do Atlântico, tendo vivido guerras tribais africanas, a Guerra da Independência na Bahia e o início da Revolução Farroupilha, e preso pelos abolicionistas ingleses na mesma prisão de Napoleão Bonaparte, Rufino pôde enfim descansar.

Durante o interrogatório em Recife, ele disse aos policiais que ganhava dinheiro fazendo rezas e remédios para negros, crioulos e brancos que procuravam sua ajuda. "Antes de começar o interrogatório ele parecia estar inteiramente concentrado, dava ares de indiferente ao que junto dele se dizia, e pelo leve mover de seus lábios mostrava que rezava", diz a reportagem do *Jornal do Commercio*. "Toda vez, porém, que se dizia alguma coisa em desabono de sua crença, ou alguém ria-se de seus escritos, via-se bem que ele já não podia guardar essa indiferença, e lia-se na fisionomia sinais de uma aflição concentrada." A polícia decidiu mantê-lo preso até encontrar alguém capaz de traduzir seus escritos e averiguar se havia algum plano de revolta entre eles. "Ao retirar-se para a prisão", diz a reportagem, Rufino "pediu que lhe fosse consentido levar um dos seus rosários e seu barrete de padre, em roda do qual tinha cosido quatro patuás."

UM ESCRAVO BAIANO

SERIA POSSÍVEL A UM ESCRAVO pedir demissão a seu proprietário? Em alguns casos, sim. Cativos descontentes demais armavam revoltas, sabotagens ou fugas. Com medo do prejuízo causado por essas ações, muitos senhores aceitavam o pedido de demissão dos negros, ou seja, que eles procurassem um comprador para si próprios. Em agosto de 1839, o jornal *Correio Mercantil*, de Salvador, publicou uma história nesses moldes. Um escravo estava insatisfeito com o excesso de trabalho que lhe exigiam. A família para quem trabalhava havia crescido e ele se viu tendo de obedecer a ordens de gente demais. O proprietário permitiu que ele procurasse um novo senhor. O escravo encontrou um comprador e foi vendido. Mas não ficou satisfeito com o novo dono, que contou a história no jornal:

> *Eis que o escravo entra em casa daí a uma hora pouco mais ou menos, chega-se a mim e me diz: Meu senhor, eu disse que lhe queria servir persuadido que V. era solteiro, mas agora vejo que é casado, tem filhas e filhos, e como a defunta minha senhora, velha, sempre cantava a seguinte*

quadra ('Infelizes são aqueles que servem a muitos senhores, um manda, outro desmanda, cada qual com seus rigores'), eu não o quero servir.[40]

O escravo pediu para retornar para a família antiga, que o aceitou de volta.

Para evitar fugas e motins, senhores eram obrigados a aceitar o "pedido de demissão" de seus escravos.

JOÃO DE OLIVEIRA

EM 1691, O CAPITÃO PORTUGUÊS Lourenço Pinto levou um grupo de missionários católicos para a África Ocidental. Ao passar pela cidade do Benim, ficou estupefato com a prosperidade que encontrou por ali. "A Grande Benim, onde mora o rei, é maior que Lisboa; todas ruas correm em linha reta até onde o olho alcança", disse ele. "As casas são grandes, especialmente as do rei, que são ricamente decoradas e têm belas colunas. A cidade é rica e próspera. É tão bem governada que assaltos são desconhecidos e as pessoas vivem em tal segurança que não têm portas em suas casas."

A capital do Império de Benim (que hoje não fica no Benim, mas na atual Nigéria) era protegida e dividida por um mosaico de fossos e muros que, segundo o arqueólogo Patrick J. Darling, chegavam a 16 mil quilômetros de extensão e consumiram em sua construção diversas vezes mais material que a pirâmide de Quéops, no Egito. Enquanto muitas cidades europeias ficavam às escuras à noite, enormes lampiões a óleo de palma iluminavam as ruas da cidade do Benim. No bairro dos artesãos, ateliês de escultores produziam máscaras e painéis de bronze e marfim para exportação. O reino também vendia de 5 mil a 10 mil metros de tecido por ano para outras cidades africanas e para os navegadores europeus.

O Benim era um entre diversos reinos africanos que surpreenderam os europeus. Havia na África Ocidental Estados centralizados e enriquecidos, com exércitos, estradas e redes de comércio. Ao norte do Benim, Oyó, reino dos Iorubás, atacava os vizinhos com guerreiros a cavalo. Já o Daomé era um Estado militarizado por excelência – contava até com tropas de mulheres para assaltar povos vizinhos, escravizá-los ou usá-los em rituais de sacrifício humano *(veja mais sobre o Daomé no capítulo seguinte)*.

Entre esses e diversos outros Estados, mercadores iam e vinham pelas estradas, pelos trechos navegáveis dos rios Níger e Senegal ou nas extensas rotas de caravanas que cruzavam o Saara, ligando os negros das florestas tropicais da África subsaariana aos árabes do norte do continente. Por muitos séculos, antes da chegada dos europeus, trocaram entre si óleo de palma, tecidos, pimenta, grãos, peles de animais, marfim, algodão, goma arábica, ouro e escravos.

Foi de uma dessas caravanas transaarianas que os portugueses, ainda em 1450, antes do descobrimento do Brasil, compraram pela primeira vez escravos africanos. Haviam instalado uma feitoria (um posto comercial fortificado) em Arguim, região da atual Mauritânia espremida entre o Atlântico e o deserto do Saara. Dali, subiram o rio Senegal e encontraram caravanas que cruzavam o deserto. "As caravelas levavam para Arguim tecidos, cereais e cavalos, e voltavam com ouro e também com muitos escravos negros", conta o historiador português Arlindo Manuel Caldeira.[41] O interessante é que os portugueses revenderam os primeiros escravos na própria África – em São Jorge da Mina, na Costa do Ouro.

Utilizaram os cativos como moeda, para trocá-los por ouro. Durante o século 16, os portugueses foram compradores – e também ativos vendedores – de escravos na África.

Décadas depois dos primeiros contatos, mercadores perceberam que poderiam comprar escravos mais ao sul, no Golfo do Benim, direto de onde os caravaneiros os adquiriam. Aos poucos, portugueses, holandeses, franceses e ingleses se mostraram consumidores mais vorazes que os árabes, e as rotas para a costa da África Ocidental se tornaram mais intensas que as do Saara. E os reinos africanos intensificaram a caça a escravos entre os povos vizinhos.

Ainda no século 15, os portugueses estabeleceram contato com o reino do Benim e compraram escravos dali e dos arredores. Um embaixador do Benim foi a Portugal em 1484 ou 1486 para estreitar relações entre os dois reinos. Foi tratado com toda a pompa reservada a um representante de um governo estrangeiro. “Era este embaixador homem de bom repouso e natural saber; foram-lhe feitas grandes festas e mostradas muitas coisas boas destes reinos”, contou na época o cronista e diplomata Rui de Pina.[42] “E foi retornado a sua terra em navio d’El-Rei, que à sua partida lhe fez mercê de vestidos ricos para ele e sua mulher; e assim enviou por ele ao rei um rico presente de coisas que ele entendeu que muito estimaria.”

A cidade do Benim retratada por um oficial inglês em 1897.

Apesar desse contato, o império do Benim nunca se tornou um grande exportador de escravos. Coisa rara na África, o tráfico foi proibido pelo soberano local. Mas em Oyó, no Daomé e em diversos outros reinos a escravização foi tão intensa que o litoral ao redor do Golfo do Benim ganhou o nome de "Costa dos Escravos". Saíram dessa região da África quase 1 milhão dos 3,5 milhões de escravos trazidos ao Brasil.

Nos quatro primeiros séculos de contato, os europeus costumavam se limitar a construir feitorias, fortes e vilas no litoral e trocar mercadorias com os africanos. Conquistas militares aos reinos africanos só seriam frequentes durante o colonialismo europeu do século 19. Antes disso, os portugueses até participaram de guerras, como em Angola em 1579, mas em geral, diz o historiador John Thornton, "não houve mais nenhuma importante conquista europeia na África, e até mesmo os escravos que cruzaram o sul do Atlântico para ajudar na colonização da América foram, com frequência, mais comprados que capturados".[43] Para ter acesso ao mercado africano, os mercadores de escravos tinham que dar muitos presentes ao rei e aos senhores locais, conquistar a confiança deles e torcer para ganhar uma autorização de comércio. Que poderia ser cancelada a qualquer momento, dependendo do humor das autoridades africanas. Mas, para estabelecer uma base e abrir o comércio nesses locais, era preciso que os bravos mercadores se aventurassem por lá.

* * *

João de Oliveira foi um desses comerciantes aventureiros. Fundou dois dos principais entrepostos na Costa dos Escravos: o de Porto Novo, de onde recebia escravos do reino de

Oyó, e outro em Lagos, este sob influência do reino do Benim. Depois de abrir os portos, estabeleceu a rota do tráfico de escravos dali até as cidades de Salvador e de Recife. Atraiu muitos mercadores porque conseguia escravos por um preço menor que nos portos vizinhos. Enquanto em Ajudá, no Daomé, os traficantes brasileiros trocavam de treze a dezesseis rolos de fumo por escravo, em Porto Novo e em Lagos o valor ficava entre oito a doze rolos. João de Oliveira foi por muito tempo um defensor dos interesses portugueses na região, ainda que, no fim da vida, não tenha sido recompensado pelos seus serviços à Coroa portuguesa.

Como Gbego, o africano que se tornou o traficante Joaquim D'Almeida, João de Oliveira começou a vida como escravo. Era provavelmente Iorubá, pois em cada face do rosto tinha três marcas tribais típicas dessa nação africana *(veja imagem na página 78)*. Nascido em 1700, foi levado por um navio negreiro a Recife quando criança e lá comprado por um casal e batizado na Igreja Católica com um nome cristão. Alguns anos depois, voltou à África e se estabeleceu entre os habitantes da Costa dos Escravos. Isso antes mesmo de obter a liberdade. "Desfrutava da completa confiança de seu dono, pois, mandado de volta à costa da África, ainda escravo, em nenhum momento aproveitou-se da oportunidade para escapar", conta o etnógrafo Pierre Verger. "Ao contrário, enviou ao senhor, pelos navios negreiros do Recife, grande quantidade de escravos com o objetivo de conseguir reembolsar-lhe o valor de sua liberdade."[44]

Abrir portos de comércio na Costa dos Escravos era uma tarefa mais fácil que mantê-los abertos. Os reis africanos que forneciam escravos não gostavam de concorrência, pois ela os obrigava a baixar o preço da "carga humana". O modo mais ci-

E. Carregador africano — Bahia
Cliché R. Lindemann, Bahia
+ porque a tempos eu te mandei um postal e não tive resposta agradeço a tua attenção. Sem mais aceite muitas saudades e um abraço do teu velho Amigo, Dico, saudades a todos d'ahi.

vilizado pelo qual tentavam se livrar da concorrência era mandando embaixadores à Europa e à América para negociar um monopólio da venda de escravos. Mas havia formas menos delicadas. O rei do Daomé, quando descobria que muitos escravos estavam sendo embarcados em portos concorrentes, costumava mandar seus soldados sabotar o embarque e sequestrar escravos e navegadores europeus. Em 1787, por exemplo, seus homens invadiram a praia de Porto Novo, onde onze navios franceses embarcavam prisioneiros. Sequestrou catorze franceses e oitenta canoeiros. Os franceses depois foram resgatados por 4.600 libras – o equivalente a cerca de duzentos escravos.

Para evitar massacres da concorrência, os homens que estabeleciam portos na África também precisavam gostar de aventuras militares. Conforme o relato de comerciantes baianos de 1770, João de Oliveira agia para evitar atos de sabotagem dos portos vizinhos. Chegou a sustentar "a sua custa em algumas ocasiões várias guerras, a fim de que os navios que se achavam para aqueles [portos] não se estivessem em algum prejuízo de roubos que os reis costumam armar, achando-se sempre pronto para ajudar e fazer sair os ditos navios com brevidade".[45]

Depois de 37 anos na África, João de Oliveira decidiu voltar ao Brasil. Conforme contou num requerimento, estava "desejoso de passar o resto da vida entre os católicos, para morrer assim com todos os sacramentos da Igreja", por isso "decidiu deixar aquela residência bárbara e transportar-se com seus escravos para esta cidade [Salvador]". Acompanhavam João quatro embaixadores do reino de Onim (na atual Lagos, na Nigéria) para negociar melhores condições na venda dos escravos. Pouco antes de o navio chegar ao Brasil, vestiu-se com uma roupa de gala. "Estava vestido com uma camisa de Holanda de babados de cano liso, com um jaleco de

PÁGINA AO LADO

Iorubás costumavam se identificar por três cicatrizes em cada face do rosto.

fustão branco por cima, e um chambre de linho azul de lágrimas da costa", conforme o relatório de um policial. Tinha sapatos de marroquim e meias de linha branca.

Mas deu tudo errado. Em 11 de maio de 1770, enquanto "esperava, em recompensa aos bons serviços que sempre prestou à Nação e à Coroa portuguesa, encontrar junto aos vassalos e à Justiça de sua fidelíssima Majestade todos os favores que supunha ter merecimento", João de Oliveira foi preso pelo chefe da alfândega de Salvador. Os embaixadores, confundidos com escravos, foram confiscados com os demais. O chefe da alfândega acusou João de Oliveira de carregar mercadorias desviadas no navio que o trouxera da África. O vice-rei da Bahia havia estipulado uma regra de que o tabaco produzido na Bahia só poderia ser trocado por escravos na África. Mas João teria aceito, em Porto Novo, a exigência de franceses e ingleses de trocar o tabaco por tecidos.

Da cadeia, o africano tentou reparar a injustiça de sua prisão. Juntou cartas de comerciantes baianos que atestaram os favores que João havia prestado a eles na África e escreveu um requerimento narrando toda a sua história. Contou que sempre fora fiel aos interesses de Portugal, à Igreja e a sua comunidade no Brasil. Mandava escravos de presente para irmandades católicas e ajudara na construção da capela da Igreja Nossa Senhora da Imaculada Conceição dos Militares, em Recife. Conforme o relato, ao saber que seu antigo dono havia morrido e a mulher dele passava dificuldades, também mandara escravos para garantir o sustento da viúva. Por causa disso, João de Oliveira pedia que as autoridades baianas desfizessem o mal-entendido, o libertassem e devolvessem os seus escravos. Depois de um mês na prisão, João de Oliveira foi solto pelas autoridades de Salvador.

ZÉ ALFAIATE

POR QUE EXISTEM tantos casos de ex-escravos que se tornaram traficantes de escravos? Além de Joaquim d'Almeida (capítulo 1) e João de Oliveira, do capítulo anterior, há a história de Tammata, um escravo Hauçá levado à França, onde foi batizado com o nome de Pierre e aprendeu a ler e escrever em francês. Depois de acompanhar seu proprietário em viagens à África, decidiu se estabelecer em Porto Novo. Vestia-se como um europeu, tocava trompa e tinha em casa móveis e sofás franceses, e até mesmo retratos dos Bourbons na parede.[46] Já o negro brasileiro Antonio Vaz Coelho se casou com a filha de nobres de Aladá na década de 1770. Para garantir o fornecimento de escravos aos navios, montou um exército pessoal para batalhar com reinos vizinhos. Sua guarda contava com homens armados com fuzis e canoas com canhões.

A resposta é que capitães de navios negreiros costumavam levar escravos como assistentes nas viagens à África para eles servirem de intérpretes durante a negociação na costa africana, e na viagem de volta, para manter a comunicação com os negros no porão do navio. Muitos desses assistentes aprendiam rápido a profissão e percebiam que eles próprios poderiam tocar o "infame comércio". E que fariam isso até melhor que os mercadores estrangeiros, pois tinham mais conhecimento dos modos de se fazer negócios na África e não enfrentavam problemas com a barreira linguística. Alguns ainda eram da família de nobres africanos – ou pelo menos tinham contato com pessoas de confiança no continente onde nasceram e naquele onde foram escravos. Europeizados e cristianizados, eles decidiam voltar à África e operar o mesmo comércio humano do qual tinham sido vítimas.

Existem mais detalhes da vida de outro cativo que se tornou traficante: José Francisco dos Santos, o Zé Alfaiate, ex-escravo na Bahia e um dos últimos traficantes do porto de Ajudá, no Daomé. Em 1949, o etnógrafo Pierre Verger conheceu no Benim o neto de Zé Alfaiate. Conseguiu com ele cópias de 112 cartas comerciais que o avô mandou entre 1844 e 1871 a parceiros comerciais em Salvador, no Rio de Janeiro, em Marselha, Havana, Bristol e Porto Novo. As cartas são um banquete para os historiadores. Dão detalhes sobre o embarque dos escravos nos navios, do cotidiano no reino do Daomé e da transição da economia escravista para a de óleo de palma. Retratam um ex-escravo que se esforçou para manter relações com o Brasil e, que no fim da vida, planejou conhecer a Riviera Francesa.

Zé Alfaiate ganhou esse apelido quando era escravo na Bahia, provavelmente pela profissão que exercia em Salvador. Por volta de 1830, conquistou a liberdade e decidiu voltar para a África. Casou-se com Francisca (ou Sikè Daho), uma das filhas de Francisco Félix de Souza, ninguém menos que o principal traficante de escravos da região. Instalou-se em Ajudá e passou a mandar escravos por conta própria, com o consentimento do sogro. Joaquim d'Almeida, instalado ali perto, em Aguê, era um de seus parceiros comerciais. Como não tinha escala para encher um navio completo com seus escravos, Zé Alfaiate costumava compartilhar o frete com outros mercadores. A maioria das cartas que Pierre Verger encontrou informa a quantidade de escravos, o destinatário e o que fazer com a encomenda. Como esta:

> *Aguê, 20 de agosto de 1844.*
>
> *Sr. Joaquim Alves da Cruz Rios, Bahia de todos os Santos.*
>
> *Senhor e amigo,*
>
> *Pela embarcação espanhola* Pepito, *eu lhe aviso que carrego, por minha conta, 10 fardos, sendo 5 H (homens) e 5 M (mulheres), eu envio-os em consignação. Leve-os em consideração e os venda ao melhor preço que possam atingir e quando o dinheiro estiver disponível, o senhor me remeterá o valor líquido em tabaco neste porto ou em Ajudá. Eu lhe peço a maior agilidade possível pois o senhor sabe que: vale mais um pouco agora que muito depois. (...)*
>
> *Sendo isto que atualmente eu tenho a lhe pedir, eu lhe desejo saúde e felicidade. Com estimada consideração e respeito.*[47]

Compartilhar o frete nos navios negreiros criava o problema de saber quais escravos eram de que traficantes. Se algum negro morresse na travessia, um proprietário poderia dizer que o escravo dele estava vivo e o morto pertencia a outra pessoa. Para evitar confusões, os mercadores da Costa dos Escravos marcavam seus "fardos" com ferro quente, como se faz hoje com gado. O viajante escocês John Duncan presenciou esse episódio quando visitou o porto de Ajudá em 1845. "Quando uma expedição de escravos está próxima de acontecer, os escravos são colocados ao ar livre, como se fosse o banho de sol

A riqueza do traficante Francisco Félix de Souza, o "Chachá de Ajudá", espantava até mesmo nobres europeus.

habitual, acorrentados pelo pescoço entre dez ou vinte", diz ele. Depois, eram levados acorrentados à praia, onde o "ferro de marcação é esquentado. Quando está suficientemente quente, é rapidamente mergulhado no óleo de dendê para evitar colar na pele. Depois é aplicado nas costelas, nas coxas ou às vezes sobre o seio. Cada mercador de escravo utiliza a sua própria marca; assim, quando o barco chega ao seu destino, é possível determinar a quem pertencem os que estão mortos."[48]

Zé Alfaiate costumava marcar seus escravos com um "5" no seio direito, como mostram diversas de suas cartas. "Pela escuna *Esperança*, eu carrego por minha conta 5 fardos, sendo 3 H [homens] e 2 M [mulheres] com a marca 5 no seio esquerdo", diz ele em 4 de outubro de 1844. Se enviava escravos a mais de uma pessoa, recorria a marcações diferentes. Numa carta de 25 de março de 1845, por exemplo, ele avisa a um comprador do Rio de Janeiro o envio de "20 fardos, sendo 10 H e 10 M... marcado 5 no seio direito" e outros "6 M marcados com PL acima do umbigo pertencem ao Sr. Manoel Luiz Pereira. Venda-os ao melhor preço, à vista". Se houvesse problemas com o ferrete, era preciso deixar isso bem avisado nas cartas aos compradores:

> *Ajudá, 22 de outubro de 1846.*
>
> *A S. Francisco Lopes Guimaraes, Bahia.*
>
> *Por esta goleta [escuna] embarquei por minha conta em nome do sr. Joaquim d'Almeida 20 fardos, sendo 12 H e 8 M com a marca '5' no seio direito. Eu vos alerto que a marca que vai na listagem geral é 'V seio'; mas, como o ferro quebrara durante a marcação, não houve outro remédio senão marcar com ferro '5'.*

O impressionante é que, entre essas mensagens frias com detalhes terríveis sobre o tráfico de escravos, Zé Alfaiate parecia ser um filho preocupado com a mãe que ainda vivia em Salvador. Em dezoito das 112 cartas, ele pergunta como a mãe está, avisa que está mandando dinheiro e pede que seus parceiros comerciais continuem cuidando dela. "Eu não consigo expressar o quanto vos sou grato pelas atenções dadas à minha mãe", diz ele na carta de agosto de 1845. Também pede aos amigos que comprem para ela uma casa com quintal. Às vezes os cuidados com a família e o tráfico de escravos se misturam no mesmo parágrafo, como na carta de 31 de maio de 1846:

> *Eu devo vos agradecer muito os favores que vós me realizastes, bem como aqueles realizados à minha mãe, o que deve ter vos causado vários transtornos. Agradeço igualmente ao vosso associado e ao vosso cunhado aos quais escrevo neste momento. Sobre o que vós me dissestes sobre o aumento da mensalidade da minha mãe, fazeis o que julgar melhor, eu fornecerei tudo para que seja bem realizado. Referente às duas negras que eu enviei, se elas não são boas, vós podereis vendê-las.*

Quando Zé Alfaiate voltou à África, o reino do Daomé tinha uma tradição escravista centenária. Em 1721, um século antes de o africano se estabelecer no Daomé, os portugueses construíram a fortaleza de São João Batista de Ajudá (que hoje abriga o Museu de História de Ajudá) e estabeleceram boa relação com o rei. Ingleses e franceses não ficaram para trás e também construíram fortificações por ali. Ajudá se tornou um dos mais movimentados portos de embarque de escravos da África. Saíram dali pelo menos 430 mil prisioneiros, o que faz daquele porto o terceiro com mais embarques em toda a história da escravidão africana, ficando atrás de Luanda, em Angola (1,4 milhão de escravos embarcados) e da Costa da Mina (648 mil).

Tanto reis africanos quanto traficantes repetiam o argumento de que a escravidão era um mal menor, pois os negros escravizados pelo menos tinham sido salvos de rituais de sacrifício humano. Até que havia alguma verdade nisso. Principalmente no Daomé, o sacrifício de pessoas e animais (algo muito comum em todo o mundo na Antiguidade, mas não no século 19) era parte de qualquer cerimônia relevante. "Há sacrifícios privados durante todo o ano", disse o capitão inglês Frederick Forbes em 1849, ao visitar o Daomé como enviado oficial do Reino Unido. "Se um homem rico morre, um menino e uma menina são sacrificados para atendê-lo no próximo mundo." Durante os Costumes Anuais, a principal festa dos daomeanos, havia desfiles militares, discursos do rei, entregas de presentes, reuniões políticas e sacrifícios, *muitos* sacrifícios humanos. Segundo Forbes, foram 32 sacrificados em 1849; 240 no ano anterior. As vítimas eram decapitadas e sua cabeça, exposta como troféu pelas autoridades. "Certos aspectos da civilização daomeana dos séculos 18 e 19 não eram precisamente idílicos", diz Pierre Verger com um toque de eufemismo.[49]

A economia, o calendário, as relações políticas, as festas, tudo do Daomé girava em torno da escravidão e dos sacrifícios humanos. Até mesmo as mulheres contribuíam para as guerras – havia tropas especiais de guerreiras, que, segundo Forbes, armadas de mosquetes e espadas, "espalhavam o terror nas tribos vizinhas".[50] As caçadas de escravos garantiam o sustento dos guerreiros, senhores locais, nobres e do rei. Muitos escravos eram trocados por dinheiro, espingardas e pólvora que serviam para avançar sobre mais territórios e caçar mais escravos.

A estranha moeda dos daomeanos merece um parágrafo à parte. Em diversas regiões da África, a moeda mais aceita pelos comerciantes era o cauri, uma concha de praia também chamada de zimbo ou búzio (ainda que o búzio seja maior e um pouco diferente). Conchas têm muitas características necessárias a moedas. São duráveis e leves, com tamanho homogêneo (podem ser multiplicadas e trocadas por peso), são difíceis de se falsificar e, como ouro, têm oferta limitada pela nature-

Ahosi, as "amazonas do Daomé", guerreiras especializadas em invadir povos vizinhos e capturar escravos. Foto do fim do século 19.

za. Em expedições ao interior, viajantes contratavam carregadores só para levar as conchas, pois elas valiam muito pouco: era preciso juntar 2 mil delas para ter o equivalente a um dólar da época (o equivalente a 32 dólares hoje). Um frango custava 200 cauris; uma laranja saía por três deles.[51]

Para fidelizar os consumidores, o rei do Daomé mandava embaixadores e cartas para os reis europeus e tentava manter boa relação com eles. Em 1790, por exemplo, o rei Agonglô escreveu a Fernando José, de Portugal, informando que seus portos de venda de escravos, agora reformados e organizados, eram muito melhores que os da concorrência. "Mandei povoar e endireitar com todo o necessário", diz ele, para que os navegadores pudessem "desembarcar e fazer o resgate livres de serem roubados" ou "perseguidos por guerras (...) como lhes costumam fazer nos portos de baixo." Prometeu ainda que "os prejuízos que experimentarem eu os tomo sobre mim".[52]

No fim do século 18, o mulato brasileiro Francisco Félix de Souza chegou ao Daomé para trabalhar como escrivão e contador do Forte de São João Batista de Ajudá. Seu irmão, comandante do forte, morreu em 1805 e Francisco Félix acabou assumindo o posto de comandante de modo informal, sem pedir permissão a Lisboa. No dia a dia do forte, que consistia em arbitrar negócios entre navegadores e mercadores, Francisco Félix ganhou reputação de bom negociante e fornecedor de escravos. Só em 1812, 45 navios negreiros baianos adquiriram escravos em Ajudá.[53] Com o tempo, o próprio Francisco Félix virou dono de navios negreiros. "Adquiriu tanto dinheiro que se tornou ele próprio comerciante de escravos e provavelmente o homem mais rico na Terra", escreveu o comandante britânico Henry Huntley, que passou pelo Daomé em 1831 e 1838.[54]

O fornecimento de escravos se baseava numa parceria entre o mercador e o rei. Francisco Félix pagava adiantado a Adandozan, rei do Daomé, com dinheiro ou mercadorias (tabaco, armas ou pólvora). O rei mandava seus súditos à caça de escravos e os repassava ao traficante. Mas não era uma relação de igual para igual: quem mandava era o rei. A situação dos estrangeiros em Ajudá, entre eles os brasileiros retornados, era de "cativeiro aberto".[55] Podiam movimentar-se livremente dentro da cidade, mas precisavam de autorização para viajar ou fazer negócios. O rei criava taxas, solicitava impostos, doações e ajuda em esforços de guerra, e se ficasse cansado poderia deixar de honrar o compromisso com Francisco Félix. Essa imprevisibilidade irritava o mercador. Ele chegou a ir a Abomé, a capital do reino, para se queixar a Adandozan. O rei achou graça da petulância de Francisco Félix e mandou prendê-lo.

Para sair da prisão, Francisco Félix contou com a ajuda de Gapê, um meio-irmão do rei que fazia oposição a ele. Em 1818, Gapê montou uma conspiração, depôs Adandozan e se tornou o rei Guezo. Quem bancou o golpe foi o próprio Francisco Félix de Souza. Em retribuição, Guezo concedeu ao mercador o monopólio da venda de escravos pelo porto de Ajudá. Daí não houve quem detivesse o "Chachá de Ajudá".

Ele construiu em Ajudá uma casa-grande assobradada e cercada por um muro, onde hospedava capitães de navios negreiros. Na parte íntima da casa, havia aposentos para suas diversas mulheres e filhos.[56] "Mais rei em Ajudá que o próprio rei do Daomé, que não pode passar sem ele, pois é fornecedor de fuzis e pólvora para ir à guerra", contou o Príncipe de Joinville, que jantou com Francisco Félix e fumou com ele charutos "Havana do tipo que o rei da Espanha nunca fumou". Segundo o príncipe, o mercador era um "pequeno ancião de olhar muito vivo e de rosto expressivo, dizem que tem dois mil escravos em seus barracões e é pai de oitenta filhos machos; não contaram as filhas. Todos os filhos são educados convenientemente; os vejo passearem vestidos de branco e com a cabeça coberta com chapéus panamá. São em geral mulatos muito bonitos."[57] Foi nessa pequena corte que Zé Alfaiate ingressou quando voltou à África e casou com uma das filhas de Francisco Félix.

Mas a comunidade brasileira em Ajudá enfrentava um adversário poderoso: a Marinha britânica. Os vapores ingleses sabiam que milhares de escravos saíam todos os anos daquele porto, por isso ficavam à espreita para perseguir os navios logo depois que eles zarpassem da África. A perseguição aos navios negreiros atrapalhou os negócios de Zé Alfaiate e seu sogro em Ajudá. "Não vale a pena arriscar-se em negócios aqui por causa dos ingleses. É melhor deixar passar um tempo", escreveu Zé Alfaiate numa carta a um parceiro baiano de 1845. "Não me remetas nada, por causa da situação triste desse lugar", diz a outro. Uma de suas cartas descreve o jogo de gato e rato entre traficantes e ingleses:

Ajudá, 25 de março de 1845.

Sr. Manoel Luiz Pereira, Bahia.

Senhor e amigo,

Eu lhe informo que, no dia 4, a embarcação Pepito *ancorou às 4 horas em Aguê e começou a embarcar. Infelizmente o vapor [inglês] apareceu quando havia quatrocentos e poucos [escravos] a bordo e quando as últimas canoas chegavam com o resto dos fardos. O capitão reenviara em seguida as ditas canoas com mais de cem e todos os embarcados ficaram dentro da embarcação. Se afastaram rapidamente, mas o vapor não os perdeu de vista (mesmo à noite) e no decorrer desta mesma noite a embarcação foi apreendida, e na manhã seguinte apareceu no ancoradouro ao lado do vapor, que ficou até o dia 8, quando partiu sem descarregar os prisioneiros. Aliás, supomos que a embarcação resistiu pois escutamos tiros nesta mesma noite do dia 4. (...)*

O bloqueio britânico aos navios negreiros mudou o embarque e a travessia dos escravos. Para fugir dos cruzadores ingleses, os traficantes passaram a escolher navios menores e mais rápidos, que por isso ofereciam condições ainda mais degradantes aos prisioneiros. Como era preciso ficar o menor tempo possível na costa, os traficantes recorreram ainda mais à armazenagem dos escravos em barracões e campos cercados. E o embarque teve que se dispersar – em vez de grandes portos como o de Ajudá, optaram por pequenos portos espalhados pela costa, que chamavam menos atenção. O historiador Robin Law acredita que essa dispersão foi o que fez José Francisco deixar Ajudá em 1841 e se instalar também em Aguê, um porto mais discreto.[58]

Além da perseguição aos navios negreiros, os britânicos usaram a diplomacia para negociar com o Daomé o fim do comércio de escravos e dos sacrifícios humanos. Não foi uma tarefa fácil, já que a escravidão, como disse o próprio rei Guezo a um pastor metodista inglês, é "o principal comércio do Daomé". Diante da pressão inglesa para fechar um acordo, o rei se mostrava escorregadio. Dizia com toda a simpatia que adorava os ingleses, mas isso tudo só para dourar a resposta negativa sobre o fim do tráfico de escravos. Em 1847, uma missão oficial inglesa ofereceu um acordo pelo qual pagaria 2 mil libras por ano, durante sete anos, se o rei decretasse o fim do tráfico de escravos. Guezo preferiu assinar um tratado menos específico, que só selava a amizade e o comércio entre o Daomé e a Inglaterra. Em 1848, diante de uma nova missão inglesa, disse que aceitaria acabar com o tráfico, mas que as 2 mil libras não pagariam suas despesas por uma semana. De fato, estimativas da época mostraram que o rei ganhava cerca de 300 mil libras por ano com impostos sobre os escravos que seu reino exportava.[59]

As conversas para estabelecer um acordo entre ingleses e daomeanos aconteceram por quarenta anos, entre 1830 e 1870. Mas já em 1851 os ingleses perderam a paciência, abandonaram as negociações e mandaram o rei Guezo interromper o tráfico e os sacrifícios se não quisesse sofrer um bloqueio naval. A escravidão pelo Atlântico estancou, mas continuou vigente dentro do reino. O sucessor de Guezo, o rei Glele, deu argumentos muito parecidos aos ingleses por volta de 1862. O tráfico de escravos, disse ele, é "meu principal meio de vida". Sobre sacrifícios humanos, arranhou o argumento conservador da prudência: "Se eu desistir desse costume, minha cabeça será decepada amanhã. Essas instituições não podem ser interrompidas do modo que vocês propõem. Pouco a pouco, muito pode ser feito." O sacrifício humano só foi extinto em 1894, quando o Daomé foi conquistado pela França.[60]

Ataque britânico a base de comércio de escravos na costa de Moçambique, 1851.

Com o declínio do comércio de gente, Zé Alfaiate partiu para o comércio de óleo de palma – o azeite de dendê, como é conhecido no Brasil. Além de ingrediente do acarajé e da moqueca, o óleo de palma serve para fazer velas, sabão e como lubrificante de máquinas. Com a demanda em alta por causa da Revolução Industrial, muitos africanos ganharam dinheiro produzindo o óleo. Zé Alfaiate foi um deles. Em março de 1849, o capitão inglês Frederick Forbes visitou a propriedade de Zé Alfaiate. "Apesar de ser um traficante de escravos, também é um comprador de óleo de palma em grande medida", escreveu o capitão em suas memórias. "Chegou aqui sem um centavo e agora já tem um estabelecimento imenso, apesar de, acredito eu, pouco capital; de fato, dizem que tem dívidas, por causa da incerteza do negócio." Além da plantação de dendezeiros, Forbes conheceu na casa de Zé Alfaiate um pátio cheio de comerciantes, "alguns com apenas um galão, outros com escravos carregados de grandes cabaças de óleo; enquanto dezenas de seus próprios escravos estavam contando cauris para pagar os produtores".[61]

Nas cartas mais recentes encontradas por Pierre Verger, a mercadoria muda de escravos para óleo de palma. Mas o formato das frases continua o mesmo: "Eu aviso que carreguei no barco Aguia setenta e cinco barris de óleo que você vai pagar o frete", diz Zé Alfaiate a um comerciante baiano em 1868.

Nas últimas cartas, o homem de negócios mostra saudade dos velhos tempos: "Os pretos daqui não são mais tolos como outrora, quando tínhamos uma vida deliciosa, barata e ainda ganhávamos dinheiro", diz ele em 1862. "Hoje na África nada mais tem valor, as comidas estão caras e os negócios, reduzidos." Zé Alfaiate manteve a relação com o Brasil até o fim da vida. Procurava ficar a par do que acontecia na política brasileira, como numa mensagem de fevereiro de 1869, em que pergunta a um parceiro comercial sobre o desenrolar da Guerra do Paraguai. Gostaria de "comemorar as ações de nossos bravos compatriotas que castigam a ousadia do tirano [Solano] López", diz ele. Também relata o começo do imperialismo europeu na África: "Lagos continua na mesma situação, a saber: as ruas do centro fechadas pelo interesse político inglês; Porto Novo trocou farpas com os ingleses (...) Eu acrescento que as coisas se mantêm assim pois os franceses também meteram o nariz."

Em junho de 1863, Zé Alfaiate revela planos de ir à Europa. "Em dezembro, eu devo ir a Paris para fazer minha cirurgia. Assim, depois do pós-operatório, espero que o senhor me permita ir de trem visitá-lo em Marselha", escreveu a um amigo. Não se sabe se ele de fato foi à França como planejou. Mas é impossível não se deslumbrar com esta imagem: um ex-escravo brasileiro e ex-traficante de escravos sendo atendido por um médico em Paris. Caso perguntasse o histórico do paciente, o médico teria boas histórias para ouvir.

AUGUSTINO

– QUANTOS ANOS você tem?

– Eu não sei.

– Quando você foi trazido do Brasil?

– Eu não sei – respondeu Augustino.

Um debate sobre a eficácia da repressão ao tráfico de escravos surgiu na Inglaterra nos anos 1840. A Marinha britânica investia fortunas na perseguição a navios negreiros no oceano Atlântico. Como resultado, o desembarque de escravos nos Estados Unidos e nas colônias francesas e inglesas no Caribe havia despencado, mas no Brasil e em Cuba ele batia recordes. Em Cuba, a chegada de africanos mais que triplicou entre 1800 e 1830. E o Brasil vivia o auge do comércio de gente: 1,7 milhão de escravos chegaram aqui na primeira metade do século 19, ou um terço de todos os negros trazidos ao Brasil. No total, o número de africanos que cruzaram o Atlântico havia diminuído, mas ainda era considerável. Passou de 727 mil entre 1801 e 1810 para 578 mil entre 1830 e 1840.[62] Políticos e ativistas ingleses suspeitavam que a repressão aos navios negreiros custava caro demais e não dava resultado. A Sociedade Britânica Contra a Escravidão, entidade abolicionista dirigida por religiosos quakers, defendia uma campanha pacífica de convencimento dos americanos, e não a repressão violenta aos navios negreiros, estratégia corrente na época. Essa controvérsia motivou a Câmara dos Lordes do Reino Unido a instalar um comitê, sob a supervisão do bispo de Oxford, para ouvir diversas testemunhas do tráfico de escravos e da repressão a ele.[63] Os parlamentares ouviram oficiais navais, diplomatas, missionários que haviam vivido na África, fazendeiros e comerciantes africanos, e até mesmo um ex-escravo: Augustino, que quando criança foi escravizado em Moçambique e levado ao Brasil.

Augustino não soube responder a questões precisas sobre datas, mas deu detalhes sobre a viagem no navio negreiro que certamente estarreceram os integrantes do comitê em Londres. Revelou também o que crianças imaginavam que aconteceria com elas quando a viagem terminasse.

– Você se lembra de ter sido feito prisioneiro na África antes de ser embarcado?

– Sim. Um mercador vendeu produtos para o meu tio, que morreu antes de pagar o que devia. O mercador veio e apreendeu todos nós, e nos fez prisioneiros e nos levou para a costa. Ficamos por lá mais ou menos uma semana ou dez dias, então fomos colocados no navio. As roupas de todos os negros indo a bordo eram destruídas até o último trapo.

A escravização de Augustino ocorreu em Moçambique em 1830, quando ele tinha por volta de 12 anos. No Brasil, o garoto foi comprado por Charles Herring, o inglês que o acompanhou na entrevista em Londres, atuou como intérprete da conversa e deu informações que Augustino não sabia responder. Charles Herring havia trabalhado como gerente de minas em São João Del Rei. Depois de dezessete anos no Brasil, decidiu voltar para a Inglaterra e levou o rapaz com ele.

PÁGINA AO LADO

Abolicionistas divulgavam plantas de navios negreiros para impressionar os ingleses quanto ao horror do tráfico de escravos.

PLAN AND SECTIONS OF A SLAVE SHIP.

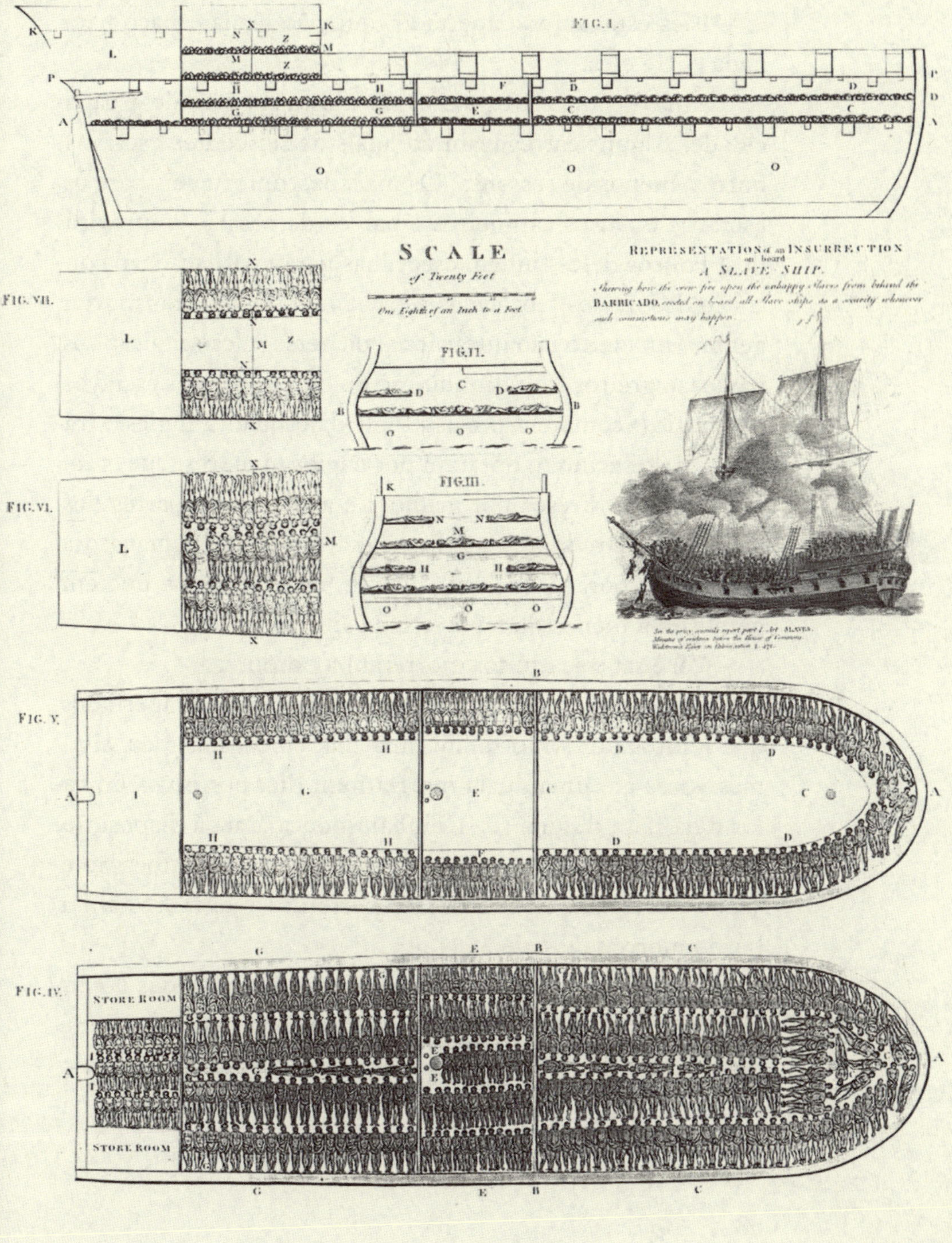

– Você lembra se, enquanto a bordo, os homens de seu país levados com você permaneciam amontoados, ou de que forma foram tratados a bordo?

– Eles estavam tão apertados que não havia espaço para nada entre eles.

Os navios negreiros variavam muito de modelo e capacidade. Alguns carregavam até mais de seiscentos escravos, outros, menos de sessenta. Os mais desconfortáveis para os escravos eram os cargueiros e barcos de passeio improvisados. Poucos deles tinham escotilhas para ventilação, ao contrário dos navios fabricados especialmente para transportar gente. Um efeito não intencional da perseguição inglesa aos navios negreiros foi a diminuição do espaço para os escravos nos navios: como era preciso fugir da esquadra inglesa, traficantes do século 19 optaram por navios menores, que eram mais velozes. Presos por grilhões e algemas em partes dos navios ou entre si, os escravos passavam as seis semanas da viagem no porão, um lugar quente, malcheiroso e que em geral tinha menos de 1,5 metro de altura.

– Você sabe se muitos morreram a bordo?

– Quando eles foram embarcados, estavam tão apertados que muitos deles morreram num dia; cinco, seis, dez, algumas vezes até uma dúzia morria num dia, por causa do calor e da falta d'água. (...) Tinham pouca água à disposição, a sede era tão intensa que muitos, de absoluta sufocação e sede, morreram. (...) A maior parte dos que morreram a bordo morreu de sede.

Homens e mulheres ficavam em partes separadas do porão. As crianças podiam circular livremente pelo convés e pelas alas masculina e feminina, por isso serviam de meio de comunicação entre casais e famílias. Na maioria dos navios, adultos podiam subir ao convés de vez em quando – mas, segundo Augustino, isso não acontecia no barco que o levou para o Brasil:

– Você, como um garoto, era levado ao convés durante a viagem?

– Sim, porque eu era pequeno.

– Os escravos adultos eram levados ao convés?

– Não, eles não eram. Estavam acorrentados no porão aos lados do navio.

Até aí, não havia muita novidade no depoimento do escravo. As informações que ele forneceu só confirmaram o que os ingleses já sabiam. Desde o século 18, livros e jornais descreviam o aprisionamento na África e as condições dos escravos durante a travessia. Panfletos criados por abolicionistas escandalizavam os ingleses ao mostrar plantas e desenhos do interior dos navios negreiros. Mas Augustino deu um detalhe que deve ter estarrecido seus ouvintes:

– Os jovens podiam subir ao convés – disse Augustino –, mas muitos deles pulavam do navio, temendo que estivessem sendo engordados para serem comidos.

– Por que eles achavam que seriam devorados? Isso acontecia no seu país?

– Eles não sabiam por que tinham sido capturados; por isso surgiu na cabeça deles a ideia de que iriam virar comida.[64]

Boatos de canibalismo nos navios negreiros se difundiam tanto na África quanto na América. Chefes africanos se aproveitavam do temor dos escravos para ameaçá-los: se não se comportassem, seriam vendidos para os "europeus canibais". "Essa crença era mais comum em algumas regiões da África que em outras: pessoas do interior acreditavam com mais facilidade que os da costa", diz o historiador Marcus Rediker.[65]

O porão de um navio negreiro: "... uma dúzia morria num dia, por causa do calor e da falta d'água."

A suspeita de canibalismo motivava suicídios, revoltas e greves de fome. Em 1823, sete anos antes de Augustino ser levado ao Brasil, escravos também de Moçambique armaram uma revolta por acreditar que seriam devorados pelos tripulantes do navio negreiro que os levava para a Bahia. Agrediram alguns tripulantes e jogaram outros no mar, mas foram contidos e depois condenados.

Na América, os abolicionistas espalhavam histórias de canibalismo para comover a população e conquistar adeptos para a sua causa. A edição de 4 de janeiro de 1839 do jornal abolicionista *The Liberator*, por exemplo, fala de uma história "revoltante demais para a leitura, mas os fatos, como fornecidos pelos escravos, precisam ser conhecidos". O jornal reproduz o relato de um observador da Jamaica sobre um suposto episódio de canibalismo que ocorreu num navio negreiro com 250 escravos. "No começo os negros foram bem tratados a bordo", diz a notícia. "Mas as provisões escassearam, e então a carne dos negros que haviam morrido foi curada e fervida para eles [os tripulantes]." Em seguida, os marinheiros teriam matado alguns escravos para comê-los. Segundo o jornal, escravos jovens foram levados para o convés e assassinados com cortes na garganta. "Uma ou duas pessoas foram mortas para esse especial objetivo", diz a notícia.

Não era difícil lembrar desses rumores durante noites escuras a bordo de um navio negreiro. Num momento você via escravos mortos serem retirados do seu lado; no seguinte deparava com o cozinheiro jogando grandes pedaços de carne num caldeirão. Crianças facilmente ligavam uma coisa a outra. "Pensamos que seríamos comidos por aqueles homens feios", escreveu Olaudah Equiano, autor de uma biografia que se tornou um best-seller na Inglaterra. No fim da viagem, Olaudah teve uma espécie de alívio. "Eles [os traficantes] nos contaram que não estávamos ali para ser devorados, mas para trabalhar."[66] Além da crueldade real que os escravos enfrentavam ao atravessar o oceano, havia outro fator a aterrorizá-los: a imaginação.

JULIANA

A DEPRESSÃO E O SUICÍDIO dos escravos brasileiros aparecem em diversos relatos de médicos e viajantes do século 19. Falava-se muito na época sobre o banzo, "um ressentimento entranhado por qualquer princípio, como a saudade dos seus, de sua pátria, o amor devido a alguém, a ingratidão, a aleivosia que outro lhe fizera, a cogitação profunda sobre a perda da liberdade, a meditação continuada da aspereza (...) que com o tempo os leva à sepultura", como escreveu o médico Luís Antonio de Oliveira Mendes em 1793.[67] Sobre africanos vindos do Gabão, o viajante Henry Koster afirmou que "são muito sujeitos ao desânimo e ao suicídio subsequente. Sucede que há exemplo de que dez ou vinte desses negros, adquiridos juntos, em pouco tempo todos morrem de desgosto, ou puderam encontrar um fim para suas vidas de maneira mais sumária".[68]

Mais recentemente, estudiosos analisaram os dados sobre suicídios em cidades brasileiras e constataram uma quantidade desproporcional de escravos entre os suicidas. Em Salvador, por exemplo, os escravos eram 27% da população, mas 60% dos suicidas entre 1847 e 1860.[69] Analisando 319 notícias de suicídio publicadas na *Gazeta de Campinas* entre 1871 e 1877, uma psiquiatra e um biomédico encontraram pistas sobre o motivo que levou os escravos a tirarem a própria vida. Entre eles, a insatisfação com o cativeiro, problemas mentais ou amorosos e a recusa de se separar da família e acompanhar o patrão para outra cidade. Como nesta notícia de 1879:

> *Consta-nos que no município do Atibaia, no dia 5 para o 6 do andante, suicidaram-se, atirando-se a um tanque, quatro escravas, sendo duas mães e duas filhas; tentando suicidarem-se mais três, que foram imediatamente socorridas. Segundo informaram-nos foram levadas àquele ato de desespero por não quererem acompanhar seu novo senhor, fazendeiro, residente no município do Amparo, que as veio buscar. Ignoramos os pormenores do fato.*[70]

Outro caso registrado como suicídio foi o da escrava Juliana, morta em 1862 numa fazenda em São Caetano do Chopotó, Minas Gerais. A polícia abriu um inquérito de rotina, ouviu escravos e o dono de Juliana, João Dantas, e concluiu que ela havia se matado tomando veneno que guardava numa caixa.

Seis anos depois da morte, porém, quatro escravos de João Dantas procuraram a Justiça para denunciar o dono. Contaram que, na verdade, o fazendeiro matou Juliana a pauladas e depois convenceu dois escravos a confirmarem a versão de suicídio durante o depoimento à polícia. Segundo os denunciantes, tudo começou com uma briga entre Juliana e sua senhora. A mulher de João Dantas deu um tapa na escrava, que reagiu com um tição (um pedaço de lenha em brasa). "Então o réu pediu um relho [uma correia para tocar bezerros] e deu na mesma escrava três relhadas" nas costas, contou uma das testemunhas. Juliana também teria levado cacetadas na cabeça.

Desenho de escrava, Johann Moritz Rugendas.

Ao consultar os registros, os policiais perceberam que uma contusão de mais de uma polegada de diâmetro na cabeça tinha sido registrada pelo legista seis anos antes. Com essas evidências nas mãos, a polícia confiou no depoimento dos escravos e prendeu o fazendeiro João Dantas. Ele recorreu dias depois, mas a Justiça negou sua liberdade. Não se sabe o desfecho do caso, mas a impressão é que a morte de Juliana acabou sendo vingada.[71] De uma forma ou de outra, o caso de Juliana mostra que talvez as altas taxas de suicídio dos escravos não sejam só consequência de desilusão ou depressão – muitos assassinatos podem ter sido disfarçados de suicídio para livrar os senhores da condenação.

OS SENHORES

ESTE LIVRO se concentra em biografias de escravos brasileiros. Mas há detalhes que só aparecem se olharmos também para senhores de engenho, empresários e cafeicultores que compraram e mantiveram negros cativos durante o século 19. As três histórias a seguir falam sobre esses homens. Dão pistas de como a alta sociedade brasileira tratava os escravos e mostram a importância que alguns senhores davam à educação, às artes clássicas e à linhagem familiar.

I

QUANDO ESCREVEU seu testamento, em 1834, o senhor de engenho Jesuíno José da Rocha impôs uma condição a seus herdeiros. Fez questão de se assegurar de que o piano e o órgão da casa jamais saíssem de sua família. Nomeou seus dois filhos como herdeiros, "com a condição de nunca poder vender, nem alienar e nem dar para dívida" os instrumentos. Os filhos só poderiam vendê-los um para o outro – e isso só depois de adultos, quando tivessem de sair de casa. Fazia sentido tanta preocupação porque aquele piano foi o primeiro a chegar ao Oeste paulista e provavelmente o primeiro de toda a província de São Paulo. Encomendado pelo padre André da Rocha Abreu em 1802, foi carregado por escravos do porto de Santos até São Paulo, e de lá "levado em carro de bois para Porto Feliz, onde foi inaugurado com grande festa".[72]

Além do valor material, Jesuíno José da Rocha tinha um apego emocional ao piano porque nele se iniciou na música. Além de bom pianista, aos 40 anos Jesuíno já era um respeitado membro da elite da cidade de Porto Feliz, como observa o historiador Roberto Guedes.[73] Tinha vinte escravos, um relógio de algibeira de ouro e um sítio que produzia quatrocentas arrobas de açúcar por ano. Quatro décadas depois da morte de Jesuíno, seu filho aparece em dois processos dos arquivos judiciais da cidade: no seu testamento e numa ação de liberdade movida por uma mulher que o acusava de mantê-la irregularmente como escrava. Por esses documentos sabemos que o pedido de Jesuíno havia sido atendido: o piano ainda pertencia à família quando o filho morreu, em 1876. Infelizmente esse é o último rastro deixado pelo primeiro piano do interior de São Paulo – não sabemos se ele foi preservado até hoje.

2

ENTRE OS SETE irmãos, Sutério de Oliveira Barrozo foi o mais beneficiado no testamento do capitão Manuel de Oliveira Barrozo. Herdou um espadim de ouro, fardas, um anel de diamantes e a maior parte do Engenho Aratu, que contava com 42 senzalas familiares. O capitão explicou no testamento que Sutério merecia uma herança maior que a de seus outros filhos porque era a pessoa da família que cuidava dos negócios, o filho "que me ajudou a adquirir e é a quem devo todo o aumento da minha casa".[74] Mesmo antes de o pai morrer, Sutério criou reputação entre os senhores de engenho de Paripe, nos arredores de Salvador. Emprestava dinheiro para amigos brancos e para funcionários comprarem escravos. Mandou o filho ser educado por um professor particular, garantindo que ele tivesse aulas de latim. Quando um homem descobriu que sua filha havia sido deflorada pelo filho de Sutério e exigiu que os dois se casassem, Sutério enfrentou o enfurecido pai. Disse que ninguém de sua família casaria com "a filha de um roceiro" e mandou o filho passar uns tempos na cidade. Ao escrever seu testamento, em 1822, o fazendeiro declarou ter 74 escravos e ordenou que 39 deles fossem alforriados.

3

EM 1875, Dom Pedro II visitou Campinas, em São Paulo. Conheceu a Igreja Matriz, uma fundição, uma fábrica de chapéus e as principais escolas da cidade. Entre elas estava o Colégio Perseverança, que ensinava matemática, português, francês, história, piano e costura para filhas de industriais, senhores de engenho e barões do café. "Tem muitas meninas e é conceituado", escreveu o imperador nas rápidas anotações de seu diário. O dono do colégio, Antonio Cesarino, era um “velho alto, acostado a um bengalão” e com “olhos pensativos”, como descreveu o *Diário de Campinas* em 1899, numa série de reportagens sobre pessoas ilustres da cidade. Cesarino chegou a ter aulas de música com Manoel José Gomes, pai do compositor Carlos Gomes.[75] Organizava, com a mulher, leilões e bazares de produtos feitos pelas alunas, com o objetivo de arrecadar dinheiro para financiar a alforria de escravos. Ainda hoje Antonio Cesarino dá nome a uma rua do centro de Campinas.

* * *

Tanto os senhores de engenho Jesuíno e Sutério quanto o professor Cesarino eram negros, filhos de escravos ou eles próprios escravos que ganharam a liberdade quando crianças.

Jesuíno, o dono do piano, era um dos filhos do casal de escravos domésticos do padre André da Rocha Abreu. Foi provavelmente o padre quem ensinou o garoto a tocar piano e criou nele o gosto pela música. Em seu testamento, o padre deu liberdade a seus serviçais e, como não tinha herdeiros, dividiu a herança entre eles, reservando o piano a Jesuíno. O rapaz logo enriqueceu mais que seus irmãos – em seu testamento, tratou de deixar alguns bens para remediar a pobreza destes e dos sobrinhos. Também pediu para ser enterrado no Cemitério São Benedito, o cemitério dos negros de Porto Feliz.

O baiano Sutério era um dos sete filhos que o capitão Manuel de Oliveira Barrozo teve com uma escrava chamada Luiza Jeje, que foi provavelmente trazida da Costa da Mina no fim do século 18. O capitão teve apenas uma filha branca, que foi pouco lembrada no testamento. Como Luiza Jeje per-

Antonio Cesarino: negro e dono de colégio para jovens ricas de Campinas.

tencia aos pais do capitão e Sutério nasceu antes da Lei do Ventre Livre, o filho era escravo dos avós. O pai teve que o comprar para garantir sua liberdade. "Ao contrário da divulgada insensibilidade dos senhores diante de seus filhos naturais tidos de escravas, o capitão manteve sua família unida", diz a historiadora Adriana Dantas Reis Alves. "Os benefícios paternais do capitão favoreceram um grupo de escravos que se tornou dono de engenho e proprietário de escravos."[76]

O professor Cesarino "embranqueceu" à medida que conquistava seu lugar em Campinas. Processo bem conhecido entre os historiadores, as menções a cor e os termos "preto" ou "negro" sumiam dos documentos conforme o personagem enriquecia ou ganhava importância na sociedade. O próprio Dom Pedro II não o menciona como negro: "Colégio Perseverança do Cesarino e sua mulher pardos. Tem muitas meninas e é conceituado", diz a menção completa no diário do imperador.

AS SINHÁS PRETAS

O BOTÂNICO AUSTRÍACO Johann Emanuel Pohl veio ao Brasil pela primeira vez em 1817 e não gostou do que viu. Representante de uma expedição científica financiada por Francisco I, imperador da Áustria, Pohl achou os brasileiros degenerados, as estradas pouco "carroçáveis" e as cidades sujas e simplórias. "Neste país a moralidade é profundamente baixa" – eis uma frase comum em seu livro de memórias sobre o Brasil. Pohl reclamou principalmente dos brancos brasileiros: considerou-os gente preguiçosa, arrogante e de "constituição fraca", que delegava até os trabalhos mais simples aos escravos. "Com essa inatividade e preguiça os brancos decaíram tanto que à maioria deles falta até o necessário traje para comparecerem decentemente à igreja aos domingos", contou. Ao passar pela cidade de Goiás, em 1819, o austríaco descobriu que muitas mulheres brancas eram mais pobres que as negras e tinham vergonha disso. "Expressamente para estes [brancos] é rezada uma missa às 5 horas da manhã, que tem o nome de missa da madrugada. Nela aparecem principalmente as brancas empobrecidas, envoltas num manto de má qualidade, para não se exporem aos olhares desdenhosos das negras que aparecem mais tarde e entram altivamente ornadas de correntes de ouro e rendas."[77]

Sim, ele disse isso mesmo. Em pleno século 19, auge do escravismo patriarcal, mulheres negras, quase todas ex-escravas, ostentavam joias e trajes que provocavam inveja em senhoras brancas.

Por muito tempo esse trecho das memórias de Johann Emanuel Pohl não foi levado a sério – provavelmente o gringo entendeu errado o que viu ou o que lhe relataram, pensaram os estudiosos. Quando surgia alguma pista da existência de mulheres negras poderosas, historiadores ignoravam a evidência e seguiam afirmando que as mulheres libertas eram "o grupo mais invisível da história do Brasil Colônia". Mas então uma avalanche de análises de testamentos e cartas de alforria revelou centenas, milhares de ex-escravas mais ricas que a média da população de cidades da Bahia, de Minas Gerais e do Rio de Janeiro. Algumas mulheres tinham, além de joias e vestidos, escravos e imóveis em bairros badalados. A historiadora Sheila de Castro Faria teve a coragem de concluir que as ne-

gras libertas eram o segundo grupo social mais rico de algumas cidades mineiras. Perdiam somente para os homens brancos. Se isso valia para Minas Gerais, talvez também fosse verdade para a cidade de Goiás visitada por Johann Pohl.

Em Salvador, Ana de São José da Trindade era uma dessas negras donas de joias que provocariam a inveja de mulheres brancas durante a missa. Listou em seu testamento crucifixos e rosários de ouro, um relicário, diversos fios, abotoaduras e fivelas também de ouro, além de um par de brincos e um anel com diamantes incrustrados, talheres, vasos e um crucifixo de prata. Nascida na África Ocidental, Ana Trindade foi levada à Bahia provavelmente no final do século 18 e logo começou a trabalhar como escrava de ganho – pagava um valor diário ou semanal a seu senhor para poder trabalhar por conta própria. Em 1807, já era livre e tinha uma licença para trabalhar, com a ajuda de suas três escravas, vendendo comida de porta em porta. Emprestava dinheiro para comerciantes – entre eles, comerciantes de escravos – e recebia joias como penhor. Quando morreu, além das joias, tinha uma casa de três andares

Joias e roupas de negras libertas intimidavam mulheres brancas. Jean-Baptiste Debret, 1834–1839.

e janelas de vidro (um luxo na época), com uma loja alugada no térreo e um terraço no último andar. Também possuía nove escravos e diversos móveis, entre eles uma cama com cabeceira de jacarandá, a mesma usada por senhores de engenho da época. "Embora as propriedades de Ana de São José da Trindade fossem substanciais, sua biografia não era incomum em muitos aspectos", diz o historiador Richard Graham.[78]

Nem todas as negras libertas enriqueceram como Ana – provavelmente só parte delas teve essa sorte, o que também é verdade para homens e mulheres de outras etnias. Mas os casos de prósperas ex-escravas desfazem a ideia de que não era possível enriquecer, de que os negros estavam condenados a uma sociedade engessada, sem mobilidade. Além disso, alguns números impressionam. Em Serro do Frio, Minas Gerais, havia 286 proprietárias de escravos em 1738. Dessas, 244 já tinham sido escravas. Uma análise de seiscentos testamentos mostrou que homens livres, principalmente portugueses, eram os mais ricos na vila mineira de Rio das Velhas – em segundo lugar, ficavam as mulheres libertas. Da mesma forma, na lista da arrecadação de impostos de Vila Rica, ex-escravas ficavam em segundo lugar entre os maiores contribuintes.[79]

Em São João Del Rei, a africana Rosa de Mello e Costa deixou sua herança de 5 contos de réis para a Ordem Terceira de São Francisco de Assis, irmandade de cidadãos ilustres da cidade. Joaquina Maria Borges de Sant'Anna, vendedora de rua em Salvador, tinha dinheiro suficiente para emprestar a outros comerciantes e até a proprietários de armazéns na zona portuária.[80] Já Teresa de Jesus e Souza acumulava patrimônio de 30 contos de réis quando morreu, em 1873.[81]

Como essas mulheres saíram da escravidão para a riqueza ou pelo menos para uma vida confortável? Alguns historiadores sustentaram a tese da concessão senhorial – as mulheres teriam obtido alforria e posses por algum ato de caridade de seus donos, com quem tiveram alguma intimidade. De fato, como mostra o capítulo seguinte, muitas escravas tiveram casos com senhores e deles conseguiram a liberdade e uma herança, assim como outras ganharam dinheiro como prostitutas. Mas a maior parte das "sinhás pretas" enriqueceu por mérito próprio em outras atividades. "Alcancei meus bens por minha própria indústria e trabalho", eis uma frase comum em testamentos dos séculos 18 e 19. Esse trabalho era o comércio.

Com cestos na cabeça ou tabuleiros nas mãos, as escravas saíam pela cidade e pelas minas de ouro para vender frutas, verduras, marmitas, cachaça, bolinhos de feijão e de carne-seca, doces, charutos e muitas outras coisas. São por isso chamadas de "negras do tabuleiro" ou "negras quitandeiras". Ou deixavam uma comissão das vendas ao senhor, ou pagavam um "jornal" – um valor por dia ou por mês para poderem ganhar a vida livremente. Em Salvador, no ano de 1830, uma escrava pagava a sua senhora 200 réis por um dia de liberdade (o equivalente a 1,5 quilo de carne ou quase 7 litros de farinha de mandioca).[82] Principalmente em cidades onde a economia estava em ebulição, negras prosperavam e conseguiam dinheiro suficiente para comprar a própria liberdade e erguer um patrimônio. O passo seguinte era comprar escravos, como relata o viajante francês Charles Ribeyrolles:

> *Essas damas mercadoras têm seus escravos que lhes arrumam as quitandas, vigiam, vendem ou vão colocar seus grandes cestos nas esquinas das ruas frequentadas, tentando a curiosidade do passante. Não acrediteis que essa aristocracia do comércio negro, que tem prerrogativas e patentes, se deixe arrastar*

pelas suaves e santas piedades a ponto de socorrer os pés descalços da África, seus irmãos ou irmãs. Ela é avara e implacável. Só ama e compreende o dinheiro, e os próprios portugueses a respeitam em negócios.[83]

Havia pelo menos três motivos para as ex-escravas comprarem escravos. O primeiro era para ajudar nos negócios e poder aumentar as vendas. O segundo era uma questão de status. Apesar de livres, essas mulheres carregavam para sempre o estigma da cor e de terem sido escravas e trabalhadoras de rua. Possuir serviçais era uma forma de mostrar aos outros que tinham enriquecido, o que reduzia o preconceito contra elas. (Pelo mesmo motivo, as libertas gastavam bons trocados com vestidos e joias.) O terceiro motivo é que escravos eram um investimento corriqueiro nos séculos 17 a 19. Como investidores que compram apartamentos hoje em dia para viver de aluguéis, senhores compravam gente para viver do "jornal", a diária que escravos de ganho pagavam pela liberdade. Em Salvador, no ano de 1830, um africano jovem e saudável custava em média 300 mil-réis. A um jornal de 200 réis por dia, alugando o escravo vinte dias por mês, o proprietário ganharia 4 mil-réis – ou 1,3% ao mês. É uma taxa de rendimento melhor que a de bons aluguéis hoje em dia (0,5% ao mês). Mas a taxa compensava o risco mais alto: ao contrário de casas, escravos poderiam adoecer, desaparecer ou morrer de repente; como automóveis, o preço deles caía assim que envelheciam.

O costume de ter escravos de ganho existiu do começo ao fim da escravidão brasileira. Ao visitar Salvador em 1610, o navegador francês Pyrard de Laval disse que não havia "português, por mais pobre que seja, homem ou mulher, que não possua seus dois ou três escravos que sustentam a vida do seu senhor, para quem devem trabalhar certo tempo todo dia, além de manter-se com seu ganho". Mais de dois séculos depois, em 1829, o abolicionista irlandês Robert Walsh percebeu o quanto esse tipo de investimento era comum. "Muitas pessoas nas redondezas do Rio, tanto brancas quanto negras, vivem dessa maneira. Possuem um único escravo, que pela manhã sai em busca de trabalho e à noite retorna com uma pataca. Os próprios donos não fazem nada, passando os dias na indolência e vivendo dessa renda", escreveu.

Os historiadores não sabem muito bem por quê, mas em muitas cidades as libertas enriqueceram mais que os libertos. Alforriavam-se com mais facilidade e compravam mais escravos. No Rio de Janeiro, entre 1749 e 1756, por exemplo, as mulheres eram 72% dos escravos alforriados. Em São João Del Rei, 65% das ex-escravas tinham escravos, contra 20% dos homens.[84] Uma explicação corrente é que, na África,

Historiadores revelaram centenas de exemplos de negras empreendedoras e prósperas dos séculos 18 e 19. Carlos Julião, sem data.

as mulheres se encarregavam do pequeno comércio do dia a dia. Esse costume se manteve por aqui, enquanto os homens se concentraram em um teto mais baixo de lucro, como o de cocheiros ou carregadores. O fato de as negras terem mais dinheiro ficou gravado em brigas de casais e processos de divórcio. Um caso dramático é o de Fortunata Maria da Conceição, que em 1848 pediu divórcio de seu marido, João Barbosa. Disse nos autos que "não só cumpria todos os deveres de mulher casada, mas também por trabalhos continuados, e tráfico de quitandas, em que já era ocupada antes de seu casamento, ganhava para manter a si e ao réu seu marido, sem dar motivo algum a este para a maltratar". Já o marido, segundo ela, "não tinha ocupação honesta, não trabalhava e nem cuidava de ganhar a vida, e só tratava de destruir e esbanjar o que a Autora adquiria por seus suores".[85]

A riqueza das ex-escravas também atraía interesseiros. É o que parece ter acontecido com a liberta Lívia Maria da Purificação, do Rio de Janeiro, que possuía doze escravos, joias e uma boa poupança no banco. Em 1857, Lívia conheceu o escravo Amaro José de Mesquita. Namoro vai, namoro vem, ele pediu a ela 300 mil-réis emprestados para pagar o que faltava para sua alforria. Ela concordou – mas só casando. Por exigência de Lívia, os dois casaram em 23 de novembro de 1857 – só três dias depois de Amaro conseguir a liberdade. O contrato de casamento indica que ele não tinha nenhum patrimônio, enquanto ela lista diversos bens e deixa claro que as propriedades que ela já possuía ficariam de fora em um eventual divórcio. "Porém, três meses depois, Lívia pedia a separação no Juízo Eclesiástico", conta a historiadora Juliana Barreto Farias. Talvez a próspera mulher tenha percebido que o ex-escravo só queria se aproveitar da fortuna que ela possuía.[86]

QUITÉRIA

QUITÉRIA DE ASSUMPÇÃO, africana liberta no Espírito Santo, escreveu seu testamento em 30 de agosto de 1805. Lavradora e vendedora de rua, ela não tinha filhos, por isso nomeou seus irmãos como testamenteiros. Dividiu a herança – dois escravos e algum dinheiro – entre os irmãos e as pessoas de que mais gostava. Entre elas estava o antigo senhor de Quitéria, Silvestre de Araújo Oliveira, que anos antes havia cobrado 150 mil-réis para dar a alforria à escrava. Quitéria legou a ele 2 mil-réis e pediu desculpas pelo baixo valor:

"A meu crioulinho Manuel e sua irmã Maria, filhos da escrava Joaquina, hoje liberta, 8 mil-réis para que sejam divididos entre eles, e por este ato renovo sua liberdade para que fiquem na companhia de meu segundo testamenteiro (...). E declaro que deixo ao senhor Silvestre de Araújo Oliveira, do poder do qual me libertei pela importância de 150 mil-réis, 2 mil-réis, em sinal de reconhecimento e peço-lhe que me perdoe por não poder fazer mais."[87]

PÁGINAS SEGUINTES

O comércio de rua era a principal atividade das negras libertas. Foto: Marc Ferrez, 1875.

AS CHICAS-DA-SILVA

MARIA JOSÉ decidiu se vingar do marido, Antonio. Em 1887, ela pediu na Justiça o embargo da propriedade que os dois possuíam em Vassouras, no Rio de Janeiro, e anunciou que exigiria o divórcio e a partilha dos bens. Também acusou o marido de ter gastado a fortuna dela e se apoderado da herança das duas filhas do primeiro casamento de Maria José. O motivo de seu rancor era pela traição: Antonio a abandonou para passear na Corte com Marcelina, ex-escrava e ex-mucama de Maria José.

Como prova da traição, a fazendeira anexou ao processo uma foto de Marcelina e uma carta que Antonio tinha enviado à amante:

Marcelina,

Você como tem passado, meu bem? Estou com muitas saudades de você e ainda não fui dar-lhe um abraço porque estou na roça feitorando outra vez [...].

Adeus, minha negra, recebe um abraço muito e muito saudoso, e até breve. O frio já está apertando, e faz-me lembrar das noites da barraca com uma saudade que me põe fora de mim; está bom, não quero dizer mais nada por hoje, se começo a me lembrar de certas coisas, em vez desta carta vou eu mesmo, e hoje não posso sair. Outra vez adeus e até lá.

Maria José conseguiu a foto da amante e a carta com um representante comercial do marido no Rio de Janeiro que servia como intermediário dos recados entre os dois. Como explica o historiador Robert Slenes, a foto de Marcelina é um cartão de visita da época, um retrato que as pessoas faziam para dar aos amigos. A fotografia havia chegado ao Brasil quatro décadas antes, mas ainda era uma novidade cara e que inspirava algum status. "A ex-escrava aparece numa pose típica da época; há retratos de baronesas usando roupa de estilo semelhante, se posicionando de maneira idêntica, e segurando, também, um leque na mão." A mucama tinha se transformado em senhora.[88]

Uma imagem frequente na historiografia brasileira é a do senhor branco praticando abusos sexuais contra negras. Se elas engravidassem, o pai tratava o filho com a indiferença que um mero escravo recebia. Até mesmo Gilberto Freyre, conhecido por retratar a escravidão como um sistema brando, em que os senhores eram bons e os escravos, submissos, descreve o sexo entre brancos e negras como uma sessão de sadomasoquismo. "Uma espécie de sadismo do branco e do masoquismo da índia ou da negra terá predominado nas relações sexuais como nas sociais do europeu com as mulheres submetidas ao seu domínio", escreveu ele em *Casa-grande & senzala*.[89] "O que a negra da senzala fez foi facilitar a depravação com sua docilidade escrava; abrindo as pernas ao primeiro desejo do sinhô-moço. Desejo, não: ordem."

Cenas como essas devem ter acontecido com frequência.

Em 1875, por exemplo, o médico José de Goes e Siqueira relatou horrores que, para ele, eram típicos da Roma Antiga. "Indivíduos há que compram jovens escravas para convertê-las em amantes provisórias enquanto duram os encantos da idade dos prazeres", escreveu ele num livro sobre sexo e prostituição no Rio de Janeiro. "Depois, com o mesmo sangue-frio com que foram ao mercado buscar as suas vítimas, delas se despojam, e incrível parecerá, vendem-nas com os próprios filhos."[90]

Mas esses relatos não dão conta de toda a história. Como João Fernandes, o comerciante de diamantes que se casou e teve treze filhos com a escrava Chica da Silva, houve muitos casos de senhores que genuinamente se apaixonaram por escravas, largaram a família oficial para viver com as negras, legaram a herança aos filhos negros e desprezaram ou abandonaram as senhoras brancas. "Muitas solicitações de divórcio no século 19 foram motivadas por relações de senhores com suas escravas ou mulheres de cor", diz a historiadora Adriana Dantas Reis Alves.[91] A declaração da historiadora se refere à Bahia, mas vale para boa parte do Brasil.

Em 1806, Maria Ana Rita de Meneses, uma mulher branca que casou aos 12 ou 13 anos, escreveu uma carta ao reino português solicitando o divórcio. Reclamava que o marido a ignorava desde o primeiro dia de casados. Ele preferia dormir em seu aposento particular com duas escravas. A esposa insistia para o marido lhe dar alguma atenção, mas ele estava "surdo a rogos e insensível a lágrimas". Ainda mais grave, as duas escravas passaram a se considerar donas da casa. Quando Maria Ana foi castigar uma delas, a escrava reagiu. O marido correu para desfazer a briga, defendendo a escrava. Ou melhor, ex-escrava. Aos gritos, ele contou à esposa que tinha alforriado as duas jovens alguns dias antes.

Marcelina: amante do marido de sua antiga senhora.

Só sobrou a Maria Ana cair em desespero. O estilo de sua carta é em juridiquês do século 19, mas deixa transparecer a tristeza da esposa, "a suplicante", e sua decepção com o marido, "o suplicado":

> *...passou a suplicante a viver em desprezo do suplicado, surdo a rogos e insensível a lágrimas [...]. No mesmo dia em que foi para a casa do suplicado, passou este a dormir no próprio aposento com duas escravas [...] as quais por isso se fizeram tão insolentes que passaram a fazer da suplicante objeto de seus desprezos, admoestando sempre o suplicado com palavras infamantes e obscenas; e tentando esta castigar uma das mais animosas por suas próprias forças, se atreveu aquela a lançar-lhe as mãos a garganta, e levá-la debaixo de si aonde acabaria a vida da suplicante, se às vozes não acudisse o suplicado, e a escrava se não detivesse incerta no partido dele, que foi o de pegar um dos braços da suplicante, e com feroz ímpeto adverti-la de que era aquela mulher liberta, apresentando então a carta que lhe havia passado.*[92]

Uma história ainda mais dramática aparece num jornal de Taubaté em 1863. Ana Maria, mulher do senhor Antonio Ferreira dos Santos, interrompeu uma "festa" de que o marido participava com escravas e pediu que ele voltasse para seus aposentos. Josefa, uma das escravas (que o jornal *O Paulista* chama de "a rainha da orgia"), se enfureceu com a interrupção da senhora e a agrediu com golpes de foice. O marido deu fim à briga, mas o caso foi parar na delegacia. Meses depois, a escrava Josefa foi condenada a duzentos açoites e um mês usando ferro no pescoço. A punição foi baseada não só no crime, mas no fato de ser escrava. Antonio Ferreira, "indignado com a condenação da sua escrava-concubina", tomou uma decisão que provavelmente enfureceu sua mulher. Escreveu uma carta de alforria e foi à delegacia para libertar Josefa. O articulista de *O Paulista* defendeu a senhora branca. Considerou que o homem deu "um pernicioso exemplo para a sociedade, insuportável para todos os pais de família e em geral para todos os homens sensatos".[93]

O enredo "senhora branca abandonada pelo marido que a trocou por uma escrava" era comum, uma história que mesmo estrangeiros conheciam. Adèle Toussaint-Samson, uma professora parisiense que morou no Rio de Janeiro entre 1849 e 1862, contou em suas memórias ter se comovido com uma dessas mulheres abandonadas. Diz ela no livro *Uma parisiense no Brasil*:

> *[Na fazenda] eu havia notado, na noite anterior, uma jovem mulher, branca, ou, antes, amarela, de grandes olhos com olheiras, de cabelos mal penteados, que andava descalça, vestida com uma saia malfeita, uma criança pela mão e outra no colo, e supusera que bem poderia ser a mulher do administrador, que, no entanto, tinha roupa fina, um traje decente e um verniz de letras e de ciência. Ora, antes de partir, quis tirar as coisas a limpo. Resolvi então satisfazer minha curiosidade, enquanto meus filhos comiam e nossos cavalos eram selados, notando em seu rosto traços de profundo sofrimento:*
>
> *– Parece triste, senhora – disse-lhe.*
>
> *– Sou bem infeliz, senhora – respondeu ela.*
>
> *– Não é a mulher do administrador?*
>
> *– Para minha desgraça.*
>
> *– Como?*
>
> *– Ele me trata indignamente. Aquelas mulatas – acres-*

centou ela, apontando-me uma – é que são as verdadeiras senhoras da fazenda; por elas, meu marido me cobre de ultrajes.

– Por que suporta isso?

– Meu marido me força a receber essas criaturas até em minha cama; e é lá, debaixo dos meus olhos, que lhes dá suas carícias.

– É horrível!

– Quando me recuso a isso, ele me bate e suas amantes me insultam.

– Como continua com ele? Abandone-o. – Ela olhou-me com profundo espanto.

– Abandonar meu marido! – fez ela – e como viveria?

Qual a frequência de histórias como essas? Uma análise de 662 testamentos da Bahia, escritos entre 1811 e 1833, descobriu que mais de um quarto dos homens livres (casados ou solteiros), grande parte deles nascidos em Portugal, declarou ter filhos com negras e que os incluía como herdeiros. Por exemplo, o português José Gomes da Costa declarou em seu testamento ter cinco filhos de três mães diferentes. Determinou que sua testamenteira seria sua última mulher, parda, mãe de três das crianças. Já Vicente Ferreira Milles instituiu a ex-escrava Domiciana como sua herdeira universal, que deveria cuidar de seus afilhados e ficar com seus escravos e posses.[94]

Era assim também em Minas Gerais, em São Paulo, no Rio de Janeiro. O português Bonifácio Antunes, morador de Sabará, em Minas Gerais, tinha seis filhos legítimos. Mas não esqueceu de incluir em seu testamento o garoto Félix, um filho mulato que tivera com sua escrava.[95] "Deixo a casa da rua do Piolho, número 105, a minha cria Gertrudes, parda, forra, filha de minha escrava Mariana Angola, para do rendimento dela se sustentar e se vestir, pois como é a primeira cria que tive lhe tenho afeto", escreveu em seu testamento o cônego Antônio Francisco Gomes em 1824.[96] O padre também alforriou todos os seus escravos, legou algum dinheiro a eles e pediu que seu irmão olhasse por eles. Algumas senhoras brancas guardaram ressentimento com os maridos até no momento de dividir os bens. Boaventura Angélica do Espírito Santo, do Rio de Janeiro, ao escrever seu testamento deixou passar a mágoa com o ex-marido que alforriou escravas e "consta ter gastado com elas grande soma e isto declaro com bem dor no meu coração, para que meus herdeiros puxem por isso, não venham a ter prejuízo".[97]

Não havia nada a invejar da vida de escravas do Brasil escravista. Mas algumas vezes, para azar das senhoras brancas, foram as negras que conquistaram o afeto, o dinheiro e os escravos de seus senhores.

OS ESCRAVOS-SENHORES

OS CASOS de ex-escravos donos de escravos são relativamente comuns – há exemplos deles por todo a América, principalmente em cidades onde o crescimento da economia abria oportunidades para pequenos empreendedores. Mais raras e perturbadoras são as histórias de escravos com escravos – pessoas que, mesmo antes de conquistar a liberdade, compraram gente para si próprias.

A maioria dos escravos-senhores de que se tem registro viveu na Bahia; há alguns poucos exemplos no Rio de Janeiro. Nos arquivos de batismos ocorridos entre 1700 e 1751 da paróquia de Conceição da Praia, a região portuária de Salvador, há pelo menos 33 casos assim (15 mulheres e 18 homens proprietários). Para o historiador Carlos Eugênio Líbano Soares, que encontrou esses registros, trata-se de "um número espantoso de escravos que possuíam escravos".[98] Já o historiador João José Reis, depois de anos vasculhando documentos de arquivos da Bahia, encontrou sessenta exemplos na primeira metade do século 19.[99] Para se constatar o fenômeno bastam breves menções em testamentos, contratos, escrituras de compra e venda, cartas de alforria ou certidões de batismo – como esta:

Joaquim, Nagô, com 22 anos de idade aparente, escravo de Benedito, Hauçá, solteiro, e este também escravo de dona Ponciana Isabel de Freitas, branca, viúva, [moradora] ao Cais da Loiça. Foi Padrinho Domingos Lopes de Oliveira, benguela, forro, solteiro, da Freguesia de Santo Antonio Além do Carmo.[100]

Na Ordem Beneditina do Rio de Janeiro, os monges mantinham livros de nascimentos, batismos, casamentos e mortes dos escravos que trabalhavam em suas fazendas, igrejas e mosteiros. Alguns atestados de óbito revelam escravos-senhores por ali:

Em 8 de agosto de 1784 se enterrou nesta sepultura uma negra chamada Rita, cativa do nosso escravo Francisco Teles.

Em 17 de maio do ano de [17]88 se enterrou nesta sepultura um escravo chamado João, do nosso escravo Ignácio dos Santos.

Em 29 de março de [17]89 se enterrou nesta sepultura uma escrava do nosso escravo Damásio, de Camorim, chamada Maria.[101]

Veja só: os negros Benedito, Francisco Teles, Ignácio dos Santos e Damásio não eram donos de si próprios, mas eram donos de outras pessoas. Interpretaram ao mesmo tempo o papel de escravo e senhor, opressor e oprimido, vítima e algoz da escravidão.

O fenômeno é estarrecedor, mas não foi uma exclusividade da escravidão negra ou do Brasil. O historiador Orlando Patterson chega a dizer que não conhece sociedade em que escravos com poder aquisitivo fossem proibidos de comprar gente.[102] Há menções sobre escravos donos de escravos na

Odisseia, de Homero, escrita no século 8 a.C., e na Atenas do século 4 a.C. Nos primeiros séculos do Islã, escravos podiam comprar mulheres como concubinas. "No direito romano, o termo *servus vicarius* denominava tanto o escravo substituto ou assistente de outro escravo quanto, mais especificamente, um escravo que era parte do patrimônio de outro escravo", diz o historiador Walter Scheidel, da Universidade Stanford. Na maioria desses casos, assim como no Brasil, não havia leis garantindo os bens dos cativos. Mas no convívio do dia a dia a propriedade deles acabava sendo reconhecida pelos senhores e às vezes até pela Justiça.

No Brasil do século 19, a existência de escravos donos de escravos serviu como argumento contra o fim do tráfico negreiro. Políticos diziam que o fato de africanos enriquecerem e terem propriedades no Brasil seria uma prova de que a escravidão era branda por aqui e que abria aos negros as portas da prosperidade. "Tenho visto escravos senhores de escravos, com plantações, criações de gado vacum e cavalar, e finalmente com um pecúlio vasto e rendoso", afirmou o autor de um panfleto publicado em 1838 com o título incendiário de *Memória sobre o comércio de escravos, em que se pretende mostrar que este tráfico é, para eles, antes um bem do que um mal*. "Tenho visto muitos escravos libertarem-se, tornarem-se grandes proprietários, serem soldados, chegarem a oficiais de patente, e servirem outros empregos públicos que são tão úteis ao Estado."[103]

Como escravos brasileiros se tornavam senhores? Alguns por herança. Se uma negra liberta e proprietária morresse, seus escravos seriam herdados pelos filhos, e podia acontecer de esses filhos ainda viverem em cativeiro. Mais comum era o caso dos negros que conquistaram a confiança de seus

Desenho de Henrique Fleiuss, Semana Ilustrada, *1863.*

senhores e desfrutavam de tanta autonomia para tocar os negócios que, enriquecidos, não pensavam em se alforriar. Possuir escravos provavelmente lhes conferia mais benefícios e um status mais alto que ser livre. Por exemplo, o africano Manoel Joaquim Ricardo disse em 1842, quando foi testemunha em um processo judicial, que tinha de seu senhor "a autorização para negociar por si e adquirir quaisquer bens, mas também uma ampla licença de morar fora da casa daquele senhor". Comerciante de alimentos e escravos em Salvador, Ricardo comprou três mulheres – entre elas uma menina de 12 anos – quando ainda era escravo; morreu livre em 1865, dono de quatro casas e 28 negros, patrimônio que o colocava entre os 10% dos cidadãos mais ricos da Bahia.[104]

No caso dos escravos de ganho, era preciso calcular se valia mais a pena comprar ou alugar a liberdade. Como jovens casais hoje em dia, para quem às vezes é mais vantajoso alugar um apartamento em vez de pagar os juros de um financiamento, alguns escravos preferiram alugar a liberdade por mês ou por dia. Se o senhor não lhes causasse muito estorvo, era preferível investir o dinheiro que tinham acumulado. Talvez tenha sido isso que motivou a escrava Teresa, em dezembro de 1846, a comprar uma escrava para seu serviço, e não a própria liberdade, como atesta este documento:

> *Escritura de venda, compra, paga e quitação, que faz Carolina da Silva Moura à preta Teresa, escrava de Bento José d'Almeida, que com autorização deste compra a escrava Esperança de nação Nagô pela quantia de 300 mil-réis.*

Junto à escritura, havia uma mensagem de Bento, o dono de Teresa:

> *Por esta autorizo minha escrava Teresa para que possa comprar da preta Carolina da Silva Moura uma escrava desta de nome Esperança da nação Nagô, cujo consentimento é de minha vontade e sem constrangimento algum.*[105]

No campo, os escravos-senhores eram quase sempre funcionários mais graduados – gerentes, feitores e administradores das fazendas e dos engenhos. É o caso de Nicolau, escravo da Ordem Beneditina de Pernambuco, que chegou a ter quatrocentos cativos trabalhando em propriedades e nas igrejas de Recife e Olinda. Nicolau administrava a fazenda de Jaguaribe, 15 quilômetros ao norte de Recife, onde viviam cerca de cem escravos. "Possui a direção total na propriedade e tem todo conforto a que um homem de classe poderia aspirar", contou o viajante Henry Koster, que em 1812 arrendou um engenho vizinho à propriedade dos monges e conheceu bem a rotina do lugar. No livro *Viagens ao Nordeste do Brasil*, Koster conta que Nicolau era um homem elegante, que andava "muito bem montado, como os ricos agricultores", havia comprado a liberdade da mulher e dos filhos e tinha dois escravos para uso pessoal. "Ofereceu aos monges seus dois escravos em troca da liberdade própria, mas lhe disseram que a propriedade não ficaria convenientemente administrada sem a sua assistência. Assim, contra todas as inclinações pessoais, ele continua escravizado."[106]

Repare que constatação fascinante. Nicolau, um escravo, tinha dois escravos para si próprio e mandava mais na fazenda que muitos homens livres. Queria deixar a escravidão, mas os monges recusaram porque ele era importante demais na administração dos negócios.

ROSA

UM EQUÍVOCO de historiadores e sociólogos que nos anos 1960 estudaram a escravidão brasileira foi retratar os escravos como coisas. Essa historiografia dava a entender que só se permitiu aos negros ações que os senhores esperavam deles: a revolta, e consequentemente derrota e morte, ou a obediência eterna. A "teoria da coisificação" foi cristalizada por Fernando Henrique Cardoso, na época um dos principais sociólogos da esquerda paulista. Em sua tese de doutorado, de 1962, sobre a escravidão no Sul do Brasil, FHC afirma com todas as letras: ao serem tratados como coisas, os escravos acabavam agindo como coisas. "A condição jurídica de coisa correspondia à própria condição social do escravo", escreveu o ex-presidente.

Esse retrato do comportamento dos escravos foi combatido por muitos autores a partir dos anos 1990. Historiadores mostraram o óbvio: escravos, como qualquer ser humano, negociavam, tentavam impor seus valores, planejavam, traçavam estratégias, entravam na Justiça, compravam e vendiam, enriqueciam e lutavam por liberdade. Sujeitos da própria história, eles não precisavam aparecer nos livros somente na voz passiva, como nos estudos anteriores. Quase todos os personagens deste livro são exemplos desse protagonismo.

Mas no caso de Rosa, uma escrava do povoado de Rio Vermelho, hoje o bairro boêmio na orla de Salvador, não dá para escapar do retrato de uma vítima que não fez nada além de sofrer. Nos relatos policiais que eternizaram sua história, guardados hoje entre um maço de papéis no Arquivo Público do Estado da Bahia, Rosa aparece quase sempre na voz passiva. Ela foi "achada no mato quase morta de fome", "perseguida", "ferida". Nas poucas vezes em que os documentos dão a Rosa algum protagonismo, a ação é sempre de resistência: "fugiu para o mato", "abrigou-se na Igreja", "procurou o juiz".[107]

Segundo um relato de 24 de maio de 1832, enviado pelo escrivão João de Souza Machado Paixão a um juiz, Rosa era "digna de compaixão geral" no povoado de Rio Vermelho. Isso porque sua dona, Maria Joaquina de Santa Anna, "desapiedadamente sem temor de Deus, e sem respeito que devemos à justiça que nos impera, tem feito na dita escrava as mais insolentes sevícias, indignas de proferir, além dos rigorosos castigos bem conhecidos pelas cicatrizes".[108]

"Pelo desespero em que vive", segue o relato, Rosa "tem tomado o recurso de fugir para o mato" com o objetivo de escapar da violência da senhora. Depois de uma das fugas, Maria Joaquina teria ido atrás da escrava com uma faca de cortar peixe, com a qual atacou Rosa "cortando-lhe fora o beiço superior". Dias depois, a escrava foi "achada no mato quase morta de fome" e tendo a ferida "penetrada de bichos e imundices".

Depois de se recuperar, e provavelmente com o auxílio das pessoas que a encontraram, Rosa pediu ajuda ao juiz criminal do povoado. Ele recolheu a escrava à cadeia e dias depois a devolveu para Maria Joaquina, com a condição de que a dona vendesse a escrava e assim os maus-tratos terminassem.

A lei brasileira proibia maus-tratos e obrigava os senhores a fornecer roupas, comida e abrigo aos escravos. Ainda que predominasse a vista grossa aos senhores cruéis ou negligentes, há muitos processos em que eles foram obrigados a vender os escravos que violentavam. Quando a lei era ignorada, era comum os escravos fugirem – não só para tentar viver em liberdade, mas para encontrar senhores mais justos ou viver mais perto da família. "De acordo com algumas leis coloniais, escravos maltratados podiam legalmente solicitar a troca de senhor ou mover ações de liberdade, e para fazê-lo tinham de fugir para evitar represálias", diz o historiador João José Reis.[109]

A dona de Rosa, no entanto, não seguiu a ordem do juiz. Em vez de vender a escrava a outro senhor, Maria Joaquina a levou de volta para casa, prendeu-a a uma corrente e aplicou nela "castigos indo fora de horas", segundo o relato do escrivão. Os gritos e gemidos da escrava ecoaram pelo povoado, o que revoltou a vizinhança. Para evitar reclamações dos vizinhos, Maria Joaquina e seu marido decidiram levar a escrava para um sítio do casal. Para o escrivão, eles queriam ter liberdade para surrar a escrava com "correia, palmatória e tronco", como já haviam feito num episódio anterior.

No entanto, quando passavam pela capela de Nossa Senhora de Santana, Rosa conseguiu se desvencilhar e fugiu para a igreja, escondendo-se no altar. Maria Joaquina não se sentiu intimidada pelo ar sagrado do lugar ou pela autoridade religiosa. Cometeu "o sacrilégio de encostar no altar" para perseguir Rosa. João Fernandes de Castro, um ajudante da igreja, expulsou a senhora dali e correu à delegacia para denunciar

La cuisine a la roça. *Litografia de Philippe Benoist a partir da fotografia de Victor Frond, 1861.*

o que havia acontecido, avisando logo que, em casos como aquele, "a Igreja costuma prestar imunidade ao perseguido".

"Para evitar esta violência e novas sevícias, eu mesmo fui fazer conduzir a dita escrava em custódia para minha residência, a facilitar ocasião de encaminhar para Vossa Senhoria", contou o escrivão. Também reclamou que, se a Justiça solicitasse mais uma vez que Maria Joaquina vendesse Rosa, a dona faria uma "venda fantástica", ou seja, fingiria ter negociado a escrava com um falso comprador mas a manteria sob sua posse. Por isso o escrivão sugere que Rosa fique em poder da Justiça e seja "avaliada para ser comprada pelo seu valor no prazo que lhe foi concedido, para que procure o senhorio a sua vontade, melhorando assim de sorte".

A pedido do juiz, um cirurgião realizou um exame de corpo de delito em Rosa. O relatório do médico é terrível:

> *Achou ter uma cicatriz ainda recente sobre o ombro esquerdo com uma polegada de extensão, tem outra mais na parte média e anterior do osso coronal com mais uma polegada, as quais parecem ser feitas com instrumento cortante, também tem muitas cicatrizes pelas nádegas, costas, coxas e braços, pernas, umas maiores e outras pequenas, e já algumas inveteradas, e parecem ter sido produzidas por instrumento cortante de classe de correia, chicote e outros semelhantes (...) além disto tem o grande defeito da perda da metade do lábio superior do lado esquerdo, que deixa aparecer quatro dentes, o que faz apresentar uma feição horrenda.*[110]

Maria Joaquina de Santa Anna e seu marido, os autores desses maus-tratos, já haviam sido escravos. Eram negros Nagôs, da mesma nação africana de Rosa.

* * *

O comportamento de Maria Joaquina, ex-escrava e senhora cruel, lembra o caso de Prudêncio, um personagem de *Memórias póstumas de Brás Cubas*, de Machado de Assis. Prudêncio era um garoto escravo que Brás Cubas, aos 6 anos, adorava maltratar:

> *Um moleque de casa, era o meu cavalo de todos os dias; punha as mãos no chão, recebia um cordel nos queixos, à guisa de freio, eu trepava-lhe ao dorso, com uma varinha na mão, fustigava-o, dava mil voltas a um e outro lado, e ele obedecia – algumas vezes gemendo –, mas obedecia sem dizer palavra, ou, quando muito, um – 'ai, nhonhô!' – ao que eu retorquia: – 'Cala a boca, besta!'*

Anos depois, andando pelo Valongo, o antigo mercado de escravos do Rio de Janeiro, Brás Cubas se impressionou com um negro que chicoteava um escravo:

> *O primeiro não fazia caso, e, a cada súplica, respondia com uma vergalhada nova. – Toma, diabo! dizia ele; toma mais perdão, bêbado! – Meu senhor! gemia o outro. – Cala a boca, besta! replicava o vergalho. Parei, olhei... Justos céus! Quem havia de ser o do vergalho? Nada menos que o meu moleque Prudêncio, – o que meu pai libertara alguns anos antes. Cheguei-me; ele deteve-se logo e pediu-me a bênção; perguntei-lhe se aquele preto era escravo dele. – É, sim, nhonhô. – Fez-te alguma coisa? – É um vadio e um bêbado muito grande. (...)*
>
> *Era um modo que o Prudêncio tinha de se desfazer das pancadas recebidas, – transmitindo-as a outro. Eu, em crian-*

ça, montava-o, punha-lhe um freio na boca, e desancava-o sem compaixão; ele gemia e sofria. Agora, porém, que era livre, dispunha de si mesmo, dos braços, das pernas, podia trabalhar, folgar, dormir, desagrilhoado da antiga condição, agora é que ele se desbancava: comprou um escravo, e ia-lhe pagando, com alto juro, as quantias que de mim recebera.

Por desejo de compensar as crueldades que sofreram, ou simplesmente porque o castigo era um costume escravista que vinha de longa tradição africana, alguns ex-escravos se tornaram senhores dos mais cruéis e vingativos.

AGOSTINHO

QUANDO ESCRAVOS de São Luís e das fazendas ao redor fugiam de seus donos, um destino frequente eram as matas do Gurupi, o rio que faz a divisa natural do Maranhão com o Pará. A região era inacessível o suficiente para os negros montarem quilombos sem serem incomodados pelas autoridades da capital. Como em outras regiões do país, a maior parte dos quilombolas maranhenses sobrevivia por meio de roças de mandioca, arroz, tabaco e algodão, do comércio clandestino com fazendeiros e caixeiros-viajantes e de furtos a fazendas próximas. Mas alguns quilombolas maranhenses tiveram mais sorte. Ao remexer a terra dos barrancos de rios próximos aos quilombos, perceberam que havia por ali ouro puro. Bastava separá-lo da lama usando bateias ou mesmo as mãos.

A descoberta do ouro de aluvião atraiu ainda mais escravos para os quilombos, além de comerciantes de alimentos, armas e ouro. "Os 'calhambolas' descobriram perto do quilombo minas de excelente ouro", contaram moradores do município de Santa Helena, no Maranhão, num abaixo-assinado de 1853 que mandaram ao presidente da província pedindo providências contra os negros. "As minas devem ser abundantes, porque têm despertado a ambição de aventureiros, traficantes e mesmo de lavradores [...] que estão em comércio ativo com os quilombolas, permutando por ouro, armas de fogo e outras cortantes e perfurantes, pólvora e chumbo de munição."

Em 1862, durante uma expedição para destruir quilombos do Gurupi, um tenente contou a seus superiores ter ficado surpreso ao encontrar um quilombo onde havia "uma fartura espantosa". Quando sua expedição militar atingiu o local, os quilombolas já tinham sido avisados da chegada da polícia e fugido para as matas ao redor. O tenente pôde assim entrar no quilombo e descrevê-lo em detalhes. Encontrou sessenta alqueires de farinha, seis de arroz e fumo, algodão e 1.068 galinhas, além de bateias e caldeirões para garimpar ouro. "[O quilombo] tem oitocentas braças para qualquer um dos lados – junto ao povoado do lado esquerdo corre um rio com abundante água e muito boa – ao lado direito um outro onde tiram ouro; este gênero de negócio é a causa de muitos lavradores estarem sem seus escravos", disse ele.[III]

Esses povoados do Maranhão são exemplos do novo retrato que historiadores criaram recentemente dos quilombos americanos. Em vez de comunidades alternativas igualitárias e autossustentáveis, como autores dos anos 1960 retrataram o Quilombo de Palmares, acredita-se hoje que os quilombolas eram muito mais conectados e parecidos com a sociedade da época. Faziam negócios com caixeiros-viajantes, donos de vendas e até fazendeiros, que colaboravam com eles contra a repressão da polícia. Em diversos quilombos há relatos de reis e rainhas, presença de escravos e até mesmo de alguns moradores brancos. Muitos quilombolas voltavam com frequência às senzalas para rever parentes e tentar con-

Casa de negros. *Litografia de Laurent Deroy com base em desenho de Rugendas.*

vencê-los a fugir. Em Minas Gerais e no Maranhão, os quilombos viraram uma espécie de zona franca, por onde comerciantes escoavam o ouro sem precisar pagar o imposto (o "quinto") à Coroa portuguesa.

Em 1871, um comerciante que passava pelas florestas do Gurupi contou que tinha sido abordado por "treze pretos quilombolas, e alguns moleques, porém com caráter pacífico, exigindo somente venda de certos artigos, com especialidade armas e pólvora, pagando prontamente o que compraram, assim como ofereceram uma grande quantidade de selos, de fumo, arroz, gergelim e até ovos". Esse relato é uma prova límpida de que o comércio era um meio pelo qual obtinham coisas que não conseguiam produzir.

O mais conhecido garimpeiro quilombola daquela região foi Agostinho de Sá Caldas. "Além de inteligente, corajoso e empreendedor, era mateiro invulgar e gozava da fama de farejar ouro, daí o ser apelidado de 'homem do ouro' e o 'Agostinho das minas'", escreveu o engenheiro Henrique Jorge Hurley. Diziam que aquele escravo tinha conseguido encontrar um quilo de ouro em apenas uma semana.

Na década de 1860, depois de conhecer o potencial minerador daquela região, o governo do Maranhão concedeu os direitos de exploração de ouro a empresários portugueses, que criaram a Companhia de Mineração Maranhense. Agostinho, famoso por ter descoberto diversas jazidas, foi logo chamado pelos portugueses para ajudá-los. Mas o investimento da companhia na região foi um fracasso: apesar das descobertas iniciais, não havia tanto ouro por ali como em Minas Gerais.

Anos depois, conta o engenheiro Hurley, Agostinho decidiu voltar a viver como escravo de seu senhor na capital, São Luís. Mas ficou pouco tempo. "Apesar de ser bem tratado pelo senhor, Agostinho sentia ali grande nostalgia. A vida da cidade lhe despertava fundas saudades que lhe vinham da floresta." Em 1886, o negro ficou sabendo que o governo imperial construiria uma linha de telégrafo entre o Pará e o Maranhão. Não pensou duas vezes: decidiu se oferecer como voluntário para a obra. Acabou fazendo amizade com o capitão responsável pela construção. O militar havia comprado terras na região e deu a Agostinho a administração de algumas delas. Também ajudou o negro a comprar sua alforria. Sim: décadas depois de ter fugido de seu senhor, Agostinho voltou a procurá-lo para comprar sua liberdade.

Muitos anos mais tarde, em 1901, o engenheiro Henrique Jorge Hurley foi enviado pela primeira vez às matas do rio Gurupi para fazer um reconhecimento das terras e cadastrar quem morava na região entre o Maranhão e o Pará. Esperava encontrar somente índios: para sua surpresa, topou com cidades negras no meio da floresta. Logo percebeu que eram antigos quilombos que, esquecidos pelo governo, com o tempo se tornaram vilas. Algumas delas tinham sido fundadas por Agostinho de Sá, como lhe contaram os moradores mais antigos. Ainda estavam na memória deles as aventuras e os talentos do quilombola que se tornou o melhor garimpeiro do Maranhão.

Quilombolas faziam negócios com caixeiros--viajantes, fazendeiros e donos de vendas e contavam com a colaboração deles contra a repressão da polícia. Charles Landseer, 1825–1826.

MANUEL

O CÔNEGO JANUÁRIO BARBOSA logo percebeu que um de seus escravos, o garoto Manuel da Cunha e Silva, tinha vocação para a arte. Permitiu que o menino deixasse o trabalho para ter aulas com um pintor do Rio de Janeiro e, por volta de 1750, o mandou estudar artes em Lisboa. Não se sabe quanto tempo Manuel passou na Europa – mas em 1770 o escravo já estava de volta ao Rio de Janeiro e era um pintor renomado na cidade. Recebia encomendas para pintar retratos para a Câmara dos Vereadores e cenas religiosas em igrejas. Manuel continuou escravo mesmo depois de ganhar reconhecimento: o cônego vendeu o escravo-pintor para um tio e só em 1779, aos 35 anos, Manuel conseguiu a ajuda de um comerciante e comprou sua alforria. Pouco depois, abriu uma escola de pintura.

Ainda hoje, no Palácio Pedro Ernesto (a Câmara dos Vereadores), no Mosteiro de São Bento e em diversas igrejas do Rio de Janeiro, é possível ver painéis criados por Manuel da Cunha e Silva, o escravo-pintor.[112]

PÁGINA AO LADO

Nossa Senhora da Conceição. *Pintura a óleo de Manuel da Cunha.*

MANOEL PRETO

HOUVE ESCRAVOS que utilizaram artifícios jurídicos dos mais criativos para conseguir escapar da rotina de trabalhos forçados e conquistar a liberdade. Nesse esforço valia até trair a confiança do proprietário, explorar brechas da lei e tentar tapear os juízes.

Foi o que fez o africano Manoel Preto, escravo de Simão José de Souza, um comerciante de escravos da cidade de Porto Feliz, em São Paulo. Em 1825, Manoel Preto foi preso. Não se sabe qual era a acusação, apenas que ele dizia ter sido "acusado de um crime que não cometeu", e, apesar da falta de provas, o juiz decidiu "atormentá-lo no pelourinho". Provavelmente porque os açoites tirariam o escravo do trabalho por algumas semanas, o comerciante Simão decidiu evitar a punição. Escreveu às pressas a carta de alforria de Manoel Preto e correu a apresentá-la à delegacia. Logo depois que o escravo foi liberado, o proprietário cassou a carta de alforria e Manoel Preto voltou ao trabalho. Mas só por um tempo. Meses depois, ele entrou na Justiça contra o dono. Havia conquistado a alforria e Simão não tinha o direito de voltar atrás.

Por meio de um advogado, Manoel Preto afirmou que

Simão não poderia "obrar tal atrocidade, a qual consistia em reduzir o autor à escravidão sem que a isto desse motivos".[113] Também exigiu que o comerciante pagasse as custas do processo e possíveis reparações por ele ter sido mantido injustamente no cativeiro. Ganhou a causa.

O comerciante Simão José de Souza decidiu tentar uma revanche. Em 1827, moveu um libelo de ingratidão contra Manoel Preto e exigiu que o negro voltasse a ser sua propriedade. As Ordenações Filipinas (leis promulgadas pelo rei espanhol Filipe II, ainda válidas na época) estabeleciam que doações em geral poderiam ser revogadas por ingratidão. Se o beneficiário de uma doação ofendesse o doador, ferisse sua casa com "pau, pedra ou ferro" ou lhe causasse danos, o ato poderia ser revisto. Especificamente sobre a doação da alforria, a lei estabelecia o seguinte:

> *Se alguém forrar seu escravo, livrando-o de toda a servidão e, depois que for forro, cometer contra quem o forrou alguma ingratidão pessoal, em sua presença ou em ausência, quer seja verbal, quer de feito e real, poderá esse patrono revogar a liberdade que deu a esse liberto, e reduzi-lo à servidão em que antes estava.*

Simão contou com testemunhas de peso para fundamentar sua causa – homens que ocupavam os principais cargos militares de Porto Feliz, Itu e Sorocaba. Contratou como advogado Antonio Tertuliano dos Santos, o Barão de Silveiras, um poderoso fazendeiro e comerciante de escravos. Toda essa artilharia não acertou o alvo. "Simão José de Souza perdeu nas três instâncias administrativas: em Porto Feliz, na Comarca de Itu e na Corte de Apelação", diz o historiador Roberto Guedes, que descobriu essa história em arquivos de Porto Feliz.

PÁGINA AO LADO
Brasileiro pensa ter reencontrado seu escravo fugitivo. *Paul Harro-Harring, 1840.*

Os juízes consideraram que Simão havia perdido prazos processuais e não conseguira provar a ingratidão do escravo. Mas o principal motivo para a derrota do comerciante foi ele ter dado a carta de alforria só para livrar o escravo da Justiça, ou seja, para "iludir o juízo, e assim livrar o réu que o ameaçava". Manoel Preto teve a liberdade garantida, enquanto Simão José de Souza levou uma reprimenda dos juízes.

* * *

Em 1850, a Lei Eusébio de Queirós encerrou de vez o tráfico de escravos para o Brasil, considerou pirataria a importação de escravos e determinou a apreensão dos navios negreiros encontrados nas costas brasileiras. Também previa que escravos encontrados em navios seriam reenviados para os portos de origem ou ganhariam a liberdade. Na prática, a lei impôs que só pessoas livres entrariam no Brasil. Muitos escravos viram aí uma brecha: se cruzassem a fronteira e passassem um tempo fora do país, automaticamente se tornariam livres. Foi o que entenderam os escravos Lino e Lourenço. Propriedade de Augusto César de Morais, os dois haviam sido alugados para José Teixeira Bastos, que fornecia comida aos soldados brasileiros que lutavam na Guerra do Paraguai. Bastos tinha sido alertado pelo dono dos escravos para não os deixar atravessar a fronteira. Como não encontrou trabalhadores que levassem os suprimentos, decidiu usar os dois escravos na viagem até Corrientes, no norte da Argentina, onde eles passaram alguns meses. Ao voltarem para o Brasil, Lino e Lourenço alegaram ser mantidos ilegalmente no cativeiro e entraram com uma ação de liberdade com base na lei de 1850. O dono, Augusto César de Morais, tentou argumentar, disse que não havia permitido a saída de seus escravos do Brasil, mas não teve jeito. O Tribunal da Relação de Porto Alegre deu razão aos dois negros. Segundo o juiz, "a equidade exige que a palavra da lei – todos os escravos que entrarem no território ou portos do Brasil vindos de fora ficam livres – se aplique sem se fazer distinções, como as invocadas pelo réu, a de ser a lei só relativa ao tráfico da escravatura, a de não ter ele dado o seu consentimento para a saída dos escravos".

* * *

Ainda mais criativas e ousadas foram Rita e sua filha Vicença, escravas em Antonina, no litoral do Paraná. Na década de 1880, Vicença entrou com uma ação de liberdade. Dizia que ela e sua mãe haviam sido libertadas em testamento pelo senhor Manoel Nores, que morrera em Paranaguá em 1850. Um tal juiz Beltrão acreditou na história e concedeu liberdade a Rita e à filha dela. Era muito comum proprietários determinarem, em testamento, que seus escravos domésticos deveriam ganhar a alforria após a morte dos donos.

Acontece que a Rita libertada pelo senhor de Paranaguá era outra. Era brasileira e já havia morrido, enquanto a mãe de Vicença era africana, estava viva e havia comprado a própria alforria. Vicença tinha se passado por filha de outra mulher.

O caso acabou virando uma polêmica que por duas semanas esquentou as páginas do *Dezenove de Dezembro*, na época o jornal paranaense de maior relevância. Vicença tinha um dono, um homem chamado José Natividade de Meirelles, e ele não ficou contente com a história. Havia comprado uma escrava e de repente foi obrigado pela Justiça a libertá-la. Natividade de Meirelles acusou o homem com quem ele havia negociado a escrava de lhe ter vendido uma pessoa livre e iniciou um processo contra ele.

O vendedor de Vicença, José Joaquim Teixeira Ramos, respondeu ao jornal dias depois revelando a fraude. Conseguira uma certidão de óbito da verdadeira Rita, emitida pela Santa Casa de Paranaguá. Também descobrira que, no testamento do senhor de Paranaguá, não havia menção a Vicença. "A Rita de hoje que se veste com a pele da defunta nada tem a ver em comum com a Rita libertada por Nores", alegou ele num texto furioso do dia 18 de novembro de 1886. Ramos insistia que a culpa pela confusão não era dele, mas do juiz que concedera liberdade a Vicença:

> *O juiz confundiu, ao que parece propositadamente, a identidade da pessoa, a ponto de declarar em sua sentença original que Vicença também era escrava de Nores e liberta por este, quando tal nunca se deu, tendo ele juiz a prova na própria certidão junta aos autos!*

Natividade de Meirelles, o dono da escrava, publicou uma réplica acusando Ramos de só ter ligado para o caso depois de ser alvo de um processo. Disse também que precisava cumprir a decisão judicial. Se Ramos não concordava com a sentença, então que evitasse polêmicas no jornal e convencesse a Justiça da fraude cometida pelas duas mulheres. "Ignorando (...) a procedência de Rita, mãe de Vicença, e qual o direito de domínio sobre ela, não tive prova alguma a oferecer em contrário (...), visto os primitivos possuidores nada me terem esclarecido a respeito (...)", disse o dono de Vicença. Apesar de a fraude ter sido revelada, não há notícia de que a liberdade das duas tenha sido revogada.

CAETANA

SOBRE A VIDA DE CAETANA,[114] mucama de uma fazenda de café do interior de São Paulo, é possível tirar conclusões opostas. Não vai errar quem disser que a escrava teve seus desejos mais particulares ignorados, que foi submetida à opressão da escravidão e do machismo do século 19, ou que sua vida é um exemplo da crueldade do cativeiro. Mas tampouco vai faltar com a verdade quem concluir que Caetana, apesar de ser só uma escrava de provavelmente 17 anos, soube desafiar a ordem da época e impor suas escolhas, e que sua história é um exemplo do que a escravidão tinha de benigno ou surpreendente. Em 1835, obrigada pelo dono da fazenda a casar com um escravo, Caetana se recusou a viver com o marido. Convenceu o senhor que não era justo ter casado contra a vontade; arrependido, o homem que a havia forçado a casar decidiu ajudá-la a acionar a Justiça Eclesiástica e mover um longo processo de anulação de casamento.

O fato aconteceu na Fazenda Rio Claro, uma das típicas fazendas do Vale do Paraíba paulista que, a partir da década de 1830, transformaram o Brasil no maior produtor mundial de café. Todo ano, cerca de 30 toneladas do grão saíam da

Rio Claro, desciam a serra no lombo de mulas até um armazém na praia de Caraguatatuba e de lá saíam em barcos até o porto de Santos ou o do Rio de Janeiro. Dos 134 escravos da fazenda, Caetana figurava entre os que tinham hierarquia mais alta. Crioula (negra nascida no Brasil), seu trabalho era cuidar da casa e das filhas de 2 e 12 anos de seu proprietário, o capitão Luís Mariano de Tolosa, que havia perdido a mulher um ano e meio antes. Um dos homens mais ricos da região, Tolosa tinha a reputação de homem justo e moderado. Era membro da Guarda Nacional e atuava como juiz de paz, uma autoridade local que resolvia conflitos entre vizinhos, perseguia escravos fugidos e podia prender desordeiros e vagabundos ou enviá-los para trabalhar em alguma fazenda.

Em outubro de 1835, Tolosa decidiu que Caetana se casaria. O escolhido (pelo capitão) era um escravo Custódio, poucos anos mais velho que ela, também crioulo e homem que tinha um ofício – era o alfaiate da fazenda. O fazendeiro disse que "de maneira nenhuma queria ter em casa, e menos no interior dela para servir a suas filhas, escravas solteiras" e que por isso Caetana deveria "tomar o partido de casar". Como a criada recusou, Tolosa decidiu pedir ajuda da família dela para convencê-la. Caetana vivia na fazenda com a irmã, a mãe e um tio, além do marido da irmã (um homem livre) e da mulher do tio, uma negra liberta chamada Luísa Jacinta. Madrinha de Caetana, Luísa deveria ter uma intimidade maior com a escrava, por isso foi designada para conversar com a afilhada. Mas não teve jeito: irredutível, Caetana mandou Luísa avisar ao fazendeiro que sua decisão já estava tomada.

Tolosa resolveu insistir mais uma vez. Disse a Caetana que, se não casasse, ele a colocaria para fora de casa. Para amenizar o tom da ameaça, ofereceu a ela a possibilidade de escolher o noivo. Caso ela não gostasse de Custódio, poderia escolher outro escravo solteiro da fazenda. Não foi preciso mudar o noivo, pois Caetana acabou cedendo. Num dia de primavera de outubro de 1835, o padre de Paraibuna foi à fazenda realizar o casamento e os noivos subiram ao altar.

Na hora de consumar o casamento, porém, Caetana não conseguiu. O marido passou três dias insistindo para se deitar com a mulher, mas ela "não consentiu que Custódio a tocasse" ou "se fosse meter na cama". Decepcionado, o noivo foi reclamar com a família da escrava. Mãe, tia e irmã, pelo que sugerem os documentos, nada fizeram contra ou a favor de Caetana; já os homens insistiram para ela deixar de onda e aceitar o homem. Seu tio foi mais enérgico: disse que "haveria de surrá-la se ela não se sujeitasse ao marido". Numa noite de sábado, sem poder contar com a ajuda da própria família, Caetana saiu de casa e correu para a casa-grande. Entre lágrimas, disse a Tolosa que preferia apanhar a continuar casada e pediu ao fazendeiro que a livrasse daquele fardo.

O processo de anulação do casamento de Caetana é tema de uma pesquisa monumental e um livro muito bem escrito: *Caetana diz não*, de Sandra Lauderdale Graham. A historiadora americana encontrou essa história entre mais de setecentos pedidos de divórcio e de anulação guardados no arquivo da Cúria de Salvador e no Arquivo Nacional, no Rio de Janeiro. A petição de Caetana era a única em que uma escrava tentava anular o casamento. Graham deixa evidente a ambiguidade e a preciosidade do caso. De um lado, Caetana é uma escrava oprimida; de outro, alguém que conseguiu ultrapassar níveis de autoridade para impor sua decisão. É impossível entender esse caso com as categorias tradicionais, como "senhor poderoso e cruel" ou "escravo submisso ou indefeso". "Por causa de Caetana, toda a hierarquia masculina – dono, tio, marido e Igreja – foi perturbada", diz a historiadora.

O fazendeiro Tolosa enfim se compadeceu do problema de Caetana. Aflito e arrependido por ter feito a escrava casar contra a vontade, pediu conselho a um amigo e vizinho que naquela noite estava hospedado na fazenda, o também cafeicultor Manuel da Cunha Chichorro. O amigo, conforme contaria meses depois em depoimento à Igreja, disse que ele próprio sugeriu a Tolosa tentar anular o casamento.

Repare na beleza dessa situação. "O que nos surpreende é a falta de indiferença de Tolosa depois que a cerimônia se realizou. Ele poderia ter dado as costas, mas em vez disso deu ouvidos e buscou o conselho de um amigo", diz a historiadora Sandra Graham. "Vemos dois homens poderosos finalmente atentos à aflição de uma jovem e vulnerável escrava." Em fevereiro de 1836, quatro meses depois do matrimônio, a petição de anulação do casamento de Caetana e Custódio chegou ao tribunal eclesiástico de São Paulo.

Divorciar-se ou anular um casamento não era uma tarefa fácil no século 19. A Igreja só permitia a anulação se o casal ainda não tivesse feito sexo, se os cônjuges fossem parentes, se um deles já tivesse casado ou fosse incapaz de ter filhos. O casamento também perdia a validade se um dos noivos tivesse sido levado ao altar não por vontade própria, mas por força ou ameaça. Se o casamento já tivesse se consumado, o divórcio era a única saída. Acontecia se um dos cônjuges tivesse abandonado o casamento, traído o outro ou o ferido a ponto de quase matá-lo. Divorciados, os cônjuges ganhavam o direito de viver separados, mas, ao contrário da anulação, jamais poderiam casar novamente.

O pedido de anulação se baseou no argumento de que Caetana casou contra a vontade. Ao explicar o caso, o advogado contou que o fazendeiro Tolosa pensou que Caetana não queria casar porque relutava em ingressar na vida de adulta, por isso a pressionou até conseguir dela um "consentimento forçado" para o casamento. Somente depois da cerimônia ele percebeu que cometera um erro. Nove pessoas foram chamadas a testemunhar – o noivo Custódio, Caetana, a madrinha, o tio, o cunhado, uma escrava chamada Margarida, o vizinho Chichorro, o capitão Tolosa e o padre que realizou o casamento. A essa altura, a família de Caetana já tinha passado para o lado dela. Das nove testemunhas, oito confirmaram a narrativa de que Caetana fora coagida a casar. Até mesmo Custódio, o noivo recusado, disse que não tinha raiva da moça e que não queria forçá-la ao casamento. Só o padre deu uma versão diferente. Disse que, ao realizar a cerimônia, não viu nenhum sinal de coerção. Também contou que, ao fazer a pergunta tradicional, os dois noivos responderam "sim", como se esperava. Apesar da versão diferente do padre, o pedido de anulação era consistente: contava com o apoio do dono dos escravos e até mesmo do noivo recusado, além de diversos depoimentos comprovando a história.

Leitor, Caetana perdeu a causa. Um ano e dois meses depois do depoimento das testemunhas, o padre Lourenço Ferreira, vigário-geral da arquidiocese de São Paulo, decidiu indeferir a anulação. Admitiu que o medo de contrariar o senhor pode ter pesado na decisão de Caetana de participar do casamento, mas alegou que não havia prova suficiente de uma ameaça contra ela. Recusou o pedido e disse a Caetana: "Vá viver com seu marido."

PÁGINAS SEGUINTES
Casamento de negros pertencentes a uma família rica. *Jean-Baptiste Debret, 1834–1839.*

J. B. DeBret
Rio de Janeiro · 1826

Mas não ficou por isso mesmo. Apenas dois dias depois, o advogado de Caetana recorreu da decisão e o caso foi para uma instância superior, o tribunal eclesiástico de Salvador. Nessa fase do processo, houve uma interessante discussão jurídica entre o advogado da escrava e o padre escalado pelo tribunal para ser o "defensor do matrimônio". O advogado disse que um casamento sem livre consentimento perde seu significado, causa diversos males e vai "contra as Leis Divinas e Humanas e com ofensa da Religião". Também pediu aos padres que tentassem entender que o consentimento de escravos é um termo delicado. Temendo castigos, o escravo era muito mais vulnerável a pressões e ameaças. "A falar com verdade, a ordem do senhor, o seu 'quero e mando', é mais que bastante para coagir o escravo", argumentou o advogado.

Mas essa narrativa esbarrava num problema: o proprietário de Caetana, como os próprios depoimentos mostravam, não era um ser cruel ou ameaçador. Pelo contrário, foi a ele que Caetana pediu socorro, e era ele quem bancava o processo de anulação. O apoio do capitão Tolosa se virou contra Caetana, pois enfraqueceu a ideia de que ela havia casado contra a vontade. A história de que Tolosa se arrependeu da coerção não convenceu o jovem padre que atuava como defensor do casamento. Ele não entendeu como era possível Tolosa provocar "tão injusto e grave medo" se Caetana teve coragem de dizer a ele que não queria casar e que no processo mostrava que era um "homem bom e benigno". O padre recomendou que fosse mantida a primeira sentença, e assim foi feito. Cinco anos depois do início do processo, saiu a decisão final. Os cinco juízes eclesiásticos que julgaram o caso foram unânimes ao considerar o casamento indissolúvel. Caetana deveria voltar para casa e se entregar ao escravo Custódio.

Mas não se sabe se ela voltou. "Suspeito, embora sem poder provar, que no final Caetana escapou do casamento", diz a historiadora Sandra Graham. É difícil imaginar que os noivos, separados havia cinco anos, se obrigariam a consumar o casamento e algum dia viveram juntos. Todos os moradores da fazenda envolvidos no caso – Custódio, Caetana, a família dela e o proprietário dos dois – defendiam a anulação do casamento. Caetana perdeu a batalha jurídica, mas na vida real provavelmente conseguiu fazer valer sua decisão.

Em 1853, treze anos depois da sentença, o capitão Tolosa morreu. Nessa altura, já havia vendido a Fazenda Rio Claro e seus 84 escravos para um comerciante carioca. O inventário de seus bens cita o nome de 47 escravos – entre eles está o de Custódio. Mas não o de Caetana.

FELICIDADE

HAVIA UMA PRÁTICA da escravidão mais brutal que os castigos ou a rotina de trabalhos forçados: o ato de separar famílias de escravos. A venda de filhos ou o rompimento de um casal costumavam motivar revoltas, fugas, retaliações, suicídios dos escravos e até assassinatos dos senhores. Isso foi mais frequente a partir de 1850, quando a importação de africanos chegou ao fim. Como a demanda por trabalho subia nas fazendas de café e nos engenhos do Sudeste, surgiu um comércio interno de negros de todas as regiões do país para principalmente o Rio de Janeiro e São Paulo. Esse mercado movimentou, entre as décadas de 1850 e 1880, pelo menos 200 mil escravos, muitos deles vindos de famílias partidas.

Diante da situação delicada da separação das famílias, os senhores se comportavam dos modos mais diversos. Boa parte tentava manter as famílias unidas, vendendo casais e filhos para o mesmo dono ou transmitindo-os ao mesmo herdeiro. Houve casos em que um senhor comprou escravos só para que eles voltassem a morar com a família. José de Camargo Filho, por exemplo, em 1878 adquiriu o negro Possidônio para que esse escravo pudesse viver com a mulher, que já era sua escrava. Alguns senhores abriram mão da posse do serviçal, como fez a senhora Ana Maria Francisca, do Rio de Janeiro, que deu liberdade a sua escrava Quitéria para ela ir viver perto do marido.

Mas também são comuns os casos de crianças negociadas sem os pais. Inocêncio foi vendido aos 9 anos; Agostinho, aos 10; Julia, com apenas 3 – e veja que esses casos se limitam à região de Campinas em 1869. Naquele ano, uma lei proibiu que crianças escravas com menos de 15 anos fossem separadas dos pais. Mas nem todos os senhores obedeceram prontamente – em 1870, por exemplo, a escrava Maria, de 4 anos, foi doada por sua dona a uma amiga.[115]

Muitos escravos não se conformaram com a separação e passaram o resto da vida rodando o Brasil à procura de familiares. O exemplo mais famoso, apresentado pelo historiador Sidney Chalhoub nos anos 1990, é o da negra liberta Maria do Bonfim e sua filha. Para poderem viver juntas, as duas tiveram que se endividar, travar batalhas jurídicas e provavelmente retornar a uma escravidão temporária.

A história é a seguinte: em fins da década de 1860, Maria Ana do Bonfim foi da Bahia ao Rio de Janeiro, na companhia do comerciante Joaquim Guimarães, para tentar encontrar a filha que havia sido vendida para alguma cidade do Sudeste. Depois de descobrir que a filha trabalhava para um senhor em Ouro Preto, Maria do Bonfim deu 300 mil-réis ao comerciante para que ele fosse até Minas Gerais comprar a moça. Guimarães conseguiu adquirir por 2 contos de réis (ou 2 milhões de réis) uma procuração para negociar a escrava e a levou para ver a mãe no Rio de Janeiro. As duas enfim puderam viver juntas em liberdade, mas havia um problema: era preciso quitar a dívida com o comerciante.

PÁGINA AO LADO

Negra com seu filho. *Marc Ferrez, 1884.*

Guimarães exigiu que Maria do Bonfim pagasse logo os restantes 1 conto e 700 mil-réis. Se ela não honrasse a dívida, ele venderia a filha a algum senhor e a moça voltaria a ser escrava. Como não tinha o dinheiro, Maria do Bonfim tomou um empréstimo com outro comerciante, Antônio Costa, a juros de 3% ao mês. Antônio Costa pagou a dívida de Maria do Bonfim com o primeiro comerciante e, como garantia do empréstimo, passou a escrava para o seu nome. As duas conseguiram pagar os primeiros 500 mil-réis, mas a partir de então começaram a atrasar as parcelas. Como os bancos que hoje tomam de volta o carro financiado de quem está inadimplente, Antônio Costa mandou apreender a filha de Maria do Bonfim. E assim a moça voltou a ser escrava.

Maria do Bonfim entrou na Justiça com uma ação pela liberdade da filha. Seu advogado dizia que elas haviam sido ludibriadas pelo comerciante Costa, que prometeu comprar a alforria da moça e não transferir a propriedade dela para o seu nome. Também argumentou que a negra não poderia ser reduzida à escravidão pois "nunca esteve em poder do réu [o comerciante Costa] nem jamais prestou-lhe obediência doméstica como escrava, pelo contrário desde logo viveu em companhia de sua mãe". O caso se encerrou com um acordo: a filha de Maria do Bonfim voltaria imediatamente à liberdade e as duas se comprometeram a pagar 42 mil-réis por mês, durante três anos, ao comerciante Costa. Se preferissem, em vez desse pagamento as duas poderiam prestar serviços ao comerciante durante o mesmo período. Não sabemos qual opção elas escolheram.[116]

A filha de Maria do Bonfim se chamava Felicidade.

ANTÔNIO, O PAI

POR VOLTA DE 1850, o francês Justino Fruchot, que morava no Rio de Janeiro, se apaixonou pela escrava Manuela do Bom Jesus. O dono de Manuela tinha um sítio com um pomar e todas as manhãs Manuela saía com o tabuleiro para vender bananas, laranjas, pitangas e abacaxis na cidade. Para desposar a escrava, Fruchot comprou-lhe a alforria e os dois passaram a viver juntos. Manuela se tornou uma dona de casa dedicada ao marido, mas uma coisa a entristecia: seu pai ainda vivia como escravo em alguma fazenda do Nordeste.

Disposto a satisfazer os desejos da mulher, Fruchot decidiu encontrar o sogro e livrá-lo da escravidão. Começou assim uma extensa busca a Antônio, o pai de Manuela. Alguns anos antes, ele tinha sido vendido a uma fazenda de Pernambuco e depois revendido a vários senhores. Após alguns meses de investigação, o casal acabou descobrindo que Antônio vivia como escravo numa fazenda em São Jorge, no sul da Bahia. Arrumaram as malas e embarcaram num navio para encontrá-lo.

Assim que chegaram à fazenda, Fruchot e Manuela conversaram com o dono do estabelecimento, que concordou em vender o pai de Manuela sem constrangimentos. Mas, ao fi-

Fabricants de jacas (Paniers) *[Fabricantes de jacás]*. *Litogravura de Jules-Joseph--Augustin Laurens a partir de fotografia de Victor Frond, 1861.*

nalmente reencontrar o pai, Manuela tomou um susto: encontrou um velho degenerado e bêbado. Disse a ele que estava ali para resgatá-lo, que o marido pagaria 600 mil-réis para comprar a alforria de modo que ele pudesse se ver livre daquela fazenda e da escravidão. No Rio de Janeiro, Manuela daria ao pai um cesto e um tabuleiro para ele trabalhar por conta própria e ganhar o próprio dinheiro.

Mas o pai recusou a oferta. Preferia continuar como escravo:

Seiscentos mil-réis! Olhe que isto não faz poucas patacas. Que o senhor [Fruchot] me dê este dinheiro e vá me deixando mesmo na fazenda. Aqui tenho o que comer, o que vestir, onde dormir, e a cachaça será o remédio para as chicotadas. Com seiscentos mil-réis serei um escravo rico. Muito melhor do que trabalhar para viver.[117]

Manuela decidiu refazer a proposta no dia seguinte, quando o pai estivesse sóbrio. Mas era aquilo mesmo: o velho voltou a recusar a liberdade, preferia continuar como escravo na fazenda baiana. "Repudiava uma liberdade que o condenaria ao trabalho perpétuo. Não queria arriscar-se a passar fome, o que lhe aconteceria infalivelmente nos dias em que a cachaça lhe tirasse as forças e a razão", contou o viajante francês Charles Expilly. "Na fazenda, ao menos, teria sempre o seu quinhão de farinha de mandioca, de carne-seca, um lugar para dormir e uns trapos para cobrir o corpo."

O velho escravo raciocinou que, livre, "consumiria a vida a trabalhar para outrem". Já na fazenda "as obrigações são mais leves. O chicote ainda permite um pouco de preguiça, enquanto na cidade ela não seria admissível". Antônio não quis saber da alforria, mas insistiu em ficar com dinheiro "para comprar cachaça". Fruchot deu a ele um anel de ouro e o casal voltou desiludido ao Rio de Janeiro.

* * *

Essa história é uma delícia, pena que não saibamos quanto dela é verdade. O francês Charles Expilly, que narrou o caso no livro *Mulheres e costumes do Brasil*, de 1863, não tinha muita simpatia pelo Brasil. Chegou ao Rio de Janeiro

em 1852 para trabalhar como representante comercial da fábrica de fósforos de um primo. Nessa profissão, fez diversas viagens e conheceu o interior do país. Seu grande objetivo era criar uma escola para filhos de funcionários da Corte, mas o projeto não deu certo e o homem pegou raiva do país. Seus livros são sátiras dos costumes brasileiros e denúncias das crueldades da escravidão.

Mas, quando Expilly a publicou, talvez a história de Antônio tenha parecido verossímil e razoável aos brasileiros. O comércio interno de escravos idosos era raro, por isso os mais velhos criavam raízes na propriedade de seus senhores. Depois de uma vida inteira de trabalhos forçados, muitos achavam por bem continuar na fazenda sob sustento de seus donos, como uma espécie de aposentadoria por tempo de serviço. Com parentes e amigos na propriedade, se apegavam à rotina e às pessoas o suficiente para preferir a vida de escravos à incerteza da liberdade. O alforriado que permanece nas terras do seu senhor "vê garantido seu futuro e afastado o medo do desconhecido", diz a historiadora Kátia Mattoso em *Ser escravo no Brasil.*[118] "Ele continua a pertencer ao mundo bem fechado gravitando em torno do seu antigo senhor, que continua a ser para ele um modelo de comportamento, um possível refúgio, uma espécie de boia à qual poderá sempre agarrar-se em caso de necessidade."[119]

O raciocínio do escravo Antônio aparece nos debates dos deputados que em 1885 aprovaram a Lei dos Sexagenários, que determinava a alforria dos escravos com mais de 60 anos. Parlamentares questionaram o que haveria de positivo em mandar embora das fazendas escravos idosos. Argumentaram que a liberdade repentina dos negros mais velhos faria muitos deles virarem mendigos. Para políticos daquela épo-

PÁGINA AO LADO

Negro da roça. *Victor Frond, 1861.*

ca – e para historiadores do século seguinte – a Lei dos Sexagenários ajudou mais os senhores que os escravos idosos.

"No alto sertão", diz a historiadora Maria de Fátima Novaes Pires, "muitas escravas e escravos, mesmo aqueles que alcançavam idade elevada, continuavam servindo aos seus antigos senhores. Diante das facilidades ou dificuldades que pesavam na escolha entre ficar ou enfrentar a vida fora do lugar, distante de parentes e amigos, alguns escravos, ao conquistarem alforrias, permaneciam na região, trabalhando como camaradas, vivendo de trabalhos nas roças e em casa de seus antigos senhores ou de pessoas das quais já eram conhecidos."[120]

Um outro estrangeiro, Henry Koster (português filho de ingleses), encontrou um caso parecido ao do pai de Manuela em engenhos de Pernambuco do começo do século 19. Ele conta que um senhor decidiu perguntar a um velho escravo se, depois de tantos anos de bom serviço, desejava a alforria. Na primeira vez o escravo não entendeu a pergunta; na segunda disse que amava a liberdade. Quando o senhor prometeu que, sendo assim, naquele mesmo dia lavraria a escritura de sua liberdade, o homem se desesperou. "Ouvindo essas palavras o escravo abanou a cabeça dizendo: 'Então o senhor quer mangar do seu escravo velho?'", conta Koster. "Quando se convenceu da verdade, começou a dançar como um louco e durante muitos minutos não pôde falar nem saber o que faria de si próprio."[121] Depois de tantos anos de cativeiro, muitos escravos deixaram de desejar a liberdade.

ROSALINA E EUFROSINA

NOTÍCIA DO JORNAL *O Cruzeiro*, do Rio de Janeiro, em 8 de abril de 1879:

> *O senhor primeiro-tenente Guilherme Waddington, comandante do paquete nacional* Bahia, *dirigiu-se ontem ao sr. dr. Chefe de Polícia e fez-lhe entrega da quantia de 1:232$ [um conto e 232 mil-réis], resultado líquido de uma subscrição que levantou a bordo, ao alforriar as menores brancas Rosalina e Eufrosina, que foram embarcadas na Paraíba por um indivíduo de nome José Rufino que as ditas menores dizem ser pai delas. Estas raparigas vinham para esta Corte a fim de serem vendidas a um indivíduo que compra escravas moças para entregá-las à prostituição. O sr. dr. Chefe de Polícia prometeu interessar-se por esse negócio até conseguir a liberdade não só dessas menores como de mais três pardinhas que estão a bordo do mesmo paquete.*[122]

Debret Rio de Janeiro
1821.

Jovens negras indo à igreja para serem batizadas. *Jean-Baptiste Debret, 1821.*

HONORATA

"AOS 3 DE MARÇO do ano do nascimento de Nosso Senhor Jesus Cristo de 1871, em meu cartório, a crioula Honorata, de cor preta, natural da Bahia, idade 19 anos, solteira, do serviço doméstico, moradora do Beco do Império número dois B, declarou o seguinte:

Que desde a idade de 12 anos tem sido entregue à vida de prostituição por sua senhora, vestindo-se, calçando-se e alimentando-se a seus custos, sendo considerada por grande número de pessoas que a conhecem como liberta. Sua senhora a alugou a diversas casas para estar ela à janela recebendo visitas, o que se pode verificar com Bibiana em casa de prostituição da rua da Alfândega, perto da rua da Conceição.

À noite, por diversas vezes a admoestavam por estar ela à janela depois das 22 horas; que se retirou dessa casa por se sentir adoentada do peito, e que por isso sua senhora se zangou e mandou dar-lhe uma coça de cipó. Que viveu até certo tempo com um moço por nome José Mota, morador da rua do Ouvidor, que lhe dava todo o necessário para satisfazer as exigências de sua senhora. Mas que mudando ultimamente as circunstâncias do moço e não podendo ele fazer-lhe o que então fazia, sua senhora tem apoquentado Honorata com exigências superiores a suas forças.

Que há seis ou sete meses foi chamada pelo chefe da polícia para ser ouvida a respeito de sua condição e dos maus-tratos que recebia de sua senhora. Mas então negara a verdade dos fatos porque sua senhora e um homem com quem ela vive a ameaçaram de vendê-la para o Rio Grande se ela porventura confessasse o que ora declarava."

* * *

O depoimento de Honorata entrega boa parte da história: sua dona a alugava para casas de prostituição e a punia até mesmo se Honorata ficasse doente. Mesmo no final da escravidão, senhores obrigavam as escravas a se prostituírem. Compravam mulheres jovens – às vezes com só 12 anos, como nesse caso – e as colocavam para trabalhar em casarões iluminados nos arredores da rua da Alfândega, na zona portuária do Rio. Bem-vestidas e cheias de joias, elas se ofereciam na varanda e nas janelas dos sobrados aos homens que passavam pela rua.

Segundo um levantamento da polícia, havia 880 prostitutas no Rio de Janeiro em 1874, quando a população da cidade era de 270 mil habitantes. O censo realizado um ano antes por um médico dá um número um pouco maior – 1.059.[123] A polícia as dividia em quatro categorias: acompanhantes de luxo, jovens estrangeiras (a maioria francesas e judias polonesas), brasileiras miseráveis e, por fim, escravas, "pretas e pardas, alojadas em casas decentemente mobiliadas por seus próprios senhores, que as obrigam ao pagamento de salários elevados".

As vênus negras do Rio de Janeiro. *Jean--Baptiste Debret, 1820–1830.*

O costume de prostituir escravas parecia comum na época. Até anúncios de jornais destacavam que negras à venda também poderiam ter outra utilidade. Usavam para isso uma linguagem ambígua, como estes anúncios do *Jornal do Commercio*:

> *Vende-se uma negrinha bonita, com princípio de costura e o motivo não desagradará ao comprador.*

> *Vende-se uma linda negrinha, própria para dar de mimo, e tem princípio de educação, na rua da Alfândega n.141.*

A prostituição de escravas aconteceu por muito tempo no Brasil, mas só por volta de 1870 causou comoção entre os cariocas. "Subiu de ponto nesta cidade o clamor público ante o imoral escândalo da prostituição de escravas, por ordem ou expresso consentimento de seus senhores, que daí auferiam exorbitante lucro", contou o delegado Francisco de Faria Lemos, chefe de polícia na época. Com a ajuda do juiz municipal Miguel Tavares, o chefe de polícia montou em 1871 uma força-tarefa para combater o problema. Pediu aos subdelegados que criassem uma lista com todas as prostitutas-escravas de seus distritos, passou a apreendê-las e convencê-las a depor. A operação conquistou as manchetes dos jornais e seria lembrada anos depois. "Ainda está recente na memória pública a oposição corajosa de um delegado de polícia da cidade do Rio ao tráfico de escravas para a prostituição", escreveu Joaquim Nabuco em *O abolicionismo*, de 1883. O juiz nomeava a cada escrava um advogado e estimulava-as a mover ações de liberdade contra seus senhores. Honorata foi uma dessas mulheres. Depois de prestar depoimento, arranjou um curador e, acusando sua proprietária de abandono, pediu a liberdade na Justiça.

Maria Eleutéria Almeida de Albuquerque, a dona de Honorata, não se rendeu facilmente. Primeiro, fugiu do oficial de justiça que tentou citá-la sobre o inquérito. Ao perceber que corria o risco de perder a escrava, resolveu aparecer e se defender. Em resposta a um questionário feito pelo juiz, admitiu que alugara Honorata para a negra Bibiana, que morava na rua da Alfândega, mas não sabia nada sobre prostituição. Imaginava que Honorata trabalharia como doméstica, "para cozinhar e engomar". Disse também que "nunca auferiu da autora lucro algum ilícito e imoral", "nunca empregou sua escrava na vida da prostituição". E negou que tivesse abandonado a escrava – afirmou vesti-la "não com luxo, porém com asseio" e procurou alugá-la a famílias de comerciantes decentes e honestos.

A prostituição de escravas integrava uma zona cinzenta da lei brasileira. Senhores tinham direito de propriedade sobre os escravos, mas não podiam fazer qualquer coisa com essa propriedade. Abandoná-los ou se recusar a fornecer comida, abrigo e roupa podia ser interpretado como abandono, o que era motivo suficiente para um juiz libertar o escravo ou obrigar que ele fosse vendido a outro senhor. Na força-tarefa de 1871, a polícia processava os donos de escravos por "uso ilícito e imoral da propriedade".

O apoio da polícia deu resultado: em setembro de 1871, seis meses depois de seu primeiro depoimento, Honorata foi considerada livre pela Justiça. O juiz considerou que Maria Eleutéria agira com "degradação e abuso moral" e decidiu que era preciso "restaurar a liberdade natural" da escrava.

Semanas depois, porém, Maria Eleutéria apelou para a instância superior – e conseguiu reverter a causa a seu favor. Honorata recorreu, mas não conseguiu mudar a decisão: em dezembro de 1872 a Justiça ordenou que ela voltasse para a casa de sua proprietária. Não tinha voltado até fevereiro de 1873, quando Maria Eleutéria informou à Justiça o endereço da escrava. O último documento dessa briga judicial é um mandado de busca e apreensão de Honorata. A Justiça determinava que a escrava voltasse a viver em cativeiro.

ANNA, A BARBUDA

DOS CASARÕES ILUMINADOS da zona portuária do Rio de Janeiro, um dos mais famosos e frequentados no fim do século 19 era o "Bordel da Barbuda". Pertencia a Anna Valentina da Silva, uma ex-escrava que provavelmente trabalhara como prostituta durante a juventude e, ao envelhecer, viu crescer no rosto os pelos que lhe renderam o apelido. O prostíbulo ainda estava na memória dos cariocas na época da República, décadas depois de ter fechado as portas. No livro *Homossexualismo: A libertinagem no Rio de Janeiro*, publicado em 1906, o médico Pires de Almeida conta que Anna (doravante "Barbuda") possuía diversos bordéis, "espalhados aqui e ali, entretidos em bom pé de luxo", que "arregimentavam belíssimas mucamas, mulatinhas escravas que ela comprava sem regatear, todas elas mais ou menos claras, mais ou menos lindas, porém quase todas moças quase implumes, pois eram exibidas de vestido curto e calças". Segundo o médico, "A festejada abelha-mestra, mulher de cor, relativamente gorda, de mediana estatura, com bigode espesso e quase um cavanhaque, mostrava ter, nos últimos tempos, 55 a 60 anos." [124]

Podemos confirmar a existência da Barbuda porque, em

1869, ela foi processada por Corina, uma de suas escravas. A acusação descreve o lugar como "um conventículo de escravas destinadas a fins torpes e morais, auferindo desse comércio libidinoso grandes lucros" e retrata a Barbuda como uma senhora inclemente:

Impelida por uma horrível ganância, [a Barduda] obriga suas escravas a entreter relações com as pessoas que frequentam tal conventículo desde a manhã até duas e três horas da madrugada. Aplica bárbaros castigos, de sorte que em pouco tempo as escravas que têm a infelicidade de caírem debaixo do cativeiro da ré, veem a sua saúde completamente arruinada, como acontece a autora, pelos excessos e moléstias adquiridas em tão torpe comércio.[125]

A escrava Corina reclamava que a proprietária, além de obrigá-la a vender o corpo, cobrava um preço injusto para conceder-lhe a liberdade. De acordo com o relato, a Barbuda teria vendido Corina para uma amiga chamada Genuína, dona de outro bordel na rua da Conceição, por 1 conto de réis. Corina chegou a se mudar para a nova casa, mas a compradora desfez o negócio quatro ou cinco dias depois, ao perceber que a escrava estava doente (os autos não especificam qual era a doença venérea que acometia Corina). A escrava decidiu então pagar ela própria aquele 1 conto de réis para a Barbuda e comprar sua alforria, mas nessa ocasião sua senhora teria aumentado o preço para 1 conto e 800 mil-réis. Corina já tinha pago 1 conto e 300 mil-réis quando decidiu pedir na Justiça a liberdade e a devolução dos 300 mil-réis que considerava abusivos.

Muitos processos judiciais do Brasil escravista surgiram por divergências entre escravos e seus senhores sobre o valor da alforria. É verdade que alguns senhores costumavam cobrar menos pela alforria que o valor de mercado – por exemplo, em Mariana (Minas Gerais), a média do preço de alforrias era menor que a de um escravo de características parecidas. Uma mulher de 17 anos chamada Maria Joaquina foi alforriada em 1864 por 250 mil-réis, enquanto uma escrava equivalente valia mais de 1 conto de réis.[126] Esse desconto existia ou porque o escravo tinha alguma doença ou porque o senhor, em retribuição aos serviços prestados, decidia cobrar-lhe menos pela liberdade. Mas também acontecia com frequência o senhor abusar do monopólio sobre a concessão da alforria de seu escravo (só ele poderia vender essa liberdade) e estabeleceu um preço maior que a média.

Em 1885, a Lei dos Sexagenários fixou valores máximos que senhores poderiam cobrar pelas alforrias: de 200 mil-réis, para escravos idosos, até 900 mil-réis, para aqueles com menos de 30 anos. O preço de mulheres também seguia a tabela por idade, com um abatimento de 25% em relação ao preço dos homens. Em 1872, quando a escrava Corina enfrentou sua proprietária na Justiça, a lei não determinava preços dos escravos, mas proibia que os donos estipulassem valores abusivos, acima do mercado. Se a Barbuda tinha negociado a venda por 1 conto de réis, esse deveria ser o preço da alforria, argumentou Corina.

Em sua defesa, a Barbuda disse que empregava suas escravas na costura e na confeitaria, e chamou de calúnia a afirmação de que mantinha um bordel. Disse até que era uma boa senhora, pois tinha facilitado a alforria de diversas escravas e até mesmo de um filho de Corina. E argumentou que jamais tentara vender Corina pela quantia de 1 conto de réis, pois a havia comprado anos antes por 2 contos de réis. "O úni-

Desenho de Henrique Fleiuss, Semana Ilustrada, *1865.*

co preço que a ré abriu à autora foi 1 conto e 800 mil-réis, e isso o fez por caridade, perdendo 200 mil-réis". A Barbuda insistiu que esse era o valor justo da alforria e que ninguém poderia forçá-la a conceder a liberdade à escrava enquanto ela não completasse o pagamento.

A réplica de Corina é furiosa. "É muito sabido que quem compra um escravo por dois contos de réis, quando o quer vender, não acha quem dê metade do preço por que fora comprado", diz o documento. Ainda mais importante, o preço de Corina teria caído bastante porque ela foi comprada em perfeito estado de saúde, mas ficou cheia de doenças depois dos anos de trabalho no "conventículo" de Barbuda. "A caridade apregoada pela ré ao consentir com o preço de 1 conto e 800 mil-réis (...) é na realidade digna de riso!", diz o advogado de Corina. Ele também questiona o fato de a Barbuda ter sido bondosa com o filho da escrava. Conta que ela sugeriu levar o bebê na roda dos expostos, a portinhola giratória instalada no muro da Santa Casa do Rio de Janeiro, onde mães que rejeitavam ou que não conseguiam sustentar os filhos os deixavam para serem cuidados pelas freiras.

Corina e seu advogado levaram quatro testemunhas à presença do juiz. Uma amiga contou que um dia foi procurar Corina na casa da Barbuda, mas soube ali que a escrava havia sido vendida para o bordel de Genuína. Afirmou também que a própria Genuína lhe contou ter negociado Corina por 1 conto de réis. Dois frequentadores do bordel também disseram ter ido procurar Corina na casa da Barbuda e sido informados da venda para o bordel de Genuína por 1 conto de réis. A última testemunha era um baiano chamado José Argolo Ferrão, fornecedor de escravas para o bordel da Barbuda. Ele disse ter ouvido da compradora, Genuína, que o valor da compra era de 1 conto de réis, que o negócio foi desfeito por causa das doenças de Corina. Tanto ele quanto um dos frequentadores confirmaram a história de que a Barbuda teria mandado a escrava levar o filho para a roda dos expostos da Santa Casa.

Mas o advogado da Barbuda reagiu apresentando uma testemunha fundamental: a própria Genuína, a vizinha que, segundo a acusação, tinha tentado comprar a escrava Corina. Genuína negou que quisesse comprar Corina por 1 conto ou por qualquer valor – disse que era pobre, jamais teria condições para comprar uma escrava. Contou que sua amiga, a Barbuda, só lhe tinha emprestado Corina por alguns dias, para que a escrava lhe ajudasse com apuros em casa. As outras testemunhas da defesa – o gerente do bordel de Genuína e amigos da Barbuda – seguiram nessa linha: a Barbuda nunca quis vender a escrava e Genuína nunca pensou em comprá-la pois não teria dinheiro para isso.

O depoimento da compradora tirava um alicerce da acusação de Corina. Por isso o advogado da escrava tratou de inflamar a retórica para invalidar as testemunhas da adversária. "Genuína diz que é pobre e que se não fosse ela mesma libertaria a autora! Que coração nobre e cheio de virtudes tem a chefe do bordel à rua da Conceição número 14", escreveu ele. "Genuína é pobre e mora no magnífico sobrado à rua da Conceição número 14, sempre iluminado brilhantemente à noite! (...) Dona Genuína, levada por excessos de amor à sua companheira de profissão, inventa um empréstimo da autora em sua casa por alguns dias, quando na realidade a autora aí esteve a contento."

A retórica deu resultado. A primeira sentença da Justiça considerou Corina livre dos mandos da Barbuda, mas "sem contribuição ou restituição alguma". Ou seja: ela não precisaria pagar os 500 mil-réis que faltavam para completar o pagamento à Barbuda, mas também não receberia de volta os 300 mil-réis que tinha reivindicado. O advogado da Barbuda recorreu: considerou um atentado ao direito de propriedade sua cliente ser obrigada a vender uma escrava por um valor abaixo do que ela havia estipulado. Conseguiu reverter a decisão a seu favor. Corina teria que pagar os 500 mil-réis à senhora que a obrigava a se prostituir. O advogado da escrava não ficou contente com a decisão e apelou, mas sua manifestação é o último registro que temos sobre esse caso.

De acordo com o médico Pires de Almeida, que escreveu sobre a Barbuda em 1906, no fim da vida ela se arrependeu das crueldades. “Conta-se que essa mulher, lançando piedoso olhar ao passado, recordara-se triste da classe das infelizes que lhe proporcionaram tranquila abastança. E então, antes que a morte lhe sorvesse a vida, fizeram registrar em testamento verba especial para resgatar escravas.” A Barbuda teria lutado para acabar com uma regra que obrigava menções em túmulos de malfeitores, suicidas e prostitutas. “Abrindo luta contra o preconceito, pondo em contribuição dinheiro e afeições, a Barbuda resgatou do túmulo das meretrizes o letreiro que mostrasse ao peregrino dos cemitérios mais uma cova amaldiçoada.” O médico arremata a história da Barbuda com uma frase que vale para muitos outros senhores e traficantes do Brasil escravista: *“É que o crime, às vezes, não consegue estancar de todo o sentimento de bondade.”*

NOTAS

1 VERGER, Pierre. *Os libertos*. Salvador: Corrupio, 1992, p. 45.

2 VERGER, Pierre. *Fluxo e refluxo do tráfico de escravos entre o Golfo de Benin e a Bahia de Todos os Santos, dos séculos* XVII *a* XIX. Salvador: Corrupio, 1987, p. 457.

3 FORBES, Frederick E. *Daomé e os daometanos: Sendo os diários de duas missões para o rei do Daomé, e a residência em sua capital, no ano de 1849 e 1850*. Disponível em <https://www.wdl.org/pt/item/2527/>.

4 VERGER, Pierre. *Os libertos*, op. cit. [1992], pp. 46-47.

5 RESENDE, Guilherme; VERSIANI, Flávio Rabelo; NOGUERÓL, Luiz Paulo Ferreira; VERGOLINO, José Raimundo Oliveira. *Preços de escravos e produtividade do trabalho cativo: Pernambuco e Rio Grande do Sul, século 19*. Apresentado no 41º Encontro Nacional de Economia da ANPEC, Foz do Iguaçu, 2013.

6 CARATTI, Jônatas Marques. *Vinte anos de escravidão: Escravizações ilegais e reescravização na fronteira da província do Rio Grande do Sul*. Apresentado no XII Encontro Estadual de História ANPU/RS, São Leopoldo: Unisinos, agosto de 2014.

7 Ibid.

8 Todas as informações sobre o caso de Ovídia e Benedicta vêm de: MACHADO, Maria Helena P. T. "Corpo, gênero e identidade no limiar da abolição: A história de Benedicta Maria Albina da Ilha ou Ovídia, escrava (sudeste, 1880)". *Afro-Ásia*, n. 42, 2010.

9 A escritura de Joanna Baptista e a carta do governador estão no Arquivo Histórico Ultramarino: "Ofício de José de Nápoles Telo

de Menezes para Martinho de Melo e Castro, remetendo cópia da escritura de compra e venda forjada por uma escrava cafuza de nome Joanna Baptista".

10 SPENCE, Jonathan. *O palácio da memória de Matteo Ricci*. São Paulo: Companhia das Letras, 1986, p. 233.

11 FURTADO, Junia. "The honor of being a slave". Em: *On Human Bondage*. Wiley Blackwell, 2017; edição Kindle, posição 5815.

12 SOMMER, Barbara A. "Why Joanna Baptista Sold Herself into Slavery: Indian Women in Portuguese Amazonia, 1755-1798". *Slavery & Abolition*, 2012.

13 SLENES, Robert W. "Senhores e subalternos no Oeste paulista". Em: *História da vida privada no Brasil*, vol. 2. São Paulo: Companhia das Letras, 1997, p. 283.

14 SOMMER, Barbara A. Op. cit.

15 GUEDES, Roberto. *Egressos do cativeiro*. Rio de Janeiro: Mauad, 2008, p. 111.

16 DARWIN, Charles. *Charles Darwin's Beagle Diary*. Cambridge University Press, 1988, p. 58.

17 GOMES, Flávio dos Santos. *Histórias de quilombolas*. São Paulo: Companhia das Letras, 2006, p. 292.

18 WERNECK, Francisco Peixoto de Lacerda. *Memória sobre a fundação de uma fazenda na Província do Rio de Janeiro*. Fundação Casa de Rui Barbosa, 1985, p. 36.

19 PEREIRA, Gabriel. *Estudos eborenses: História e arqueologia*. Edições Nazareth, 1951.

20 Ibid.

21 LEITE, José Roberto Teixeira. *A China no Brasil*. Unicamp, 1999, p. 15.

22 SEABRA, Leonor Diaz de; MANSO, Maria de Deus Beites. "Escravatura, concubinagem e casamento em Macau: séculos XVI-XVIII". *Afro-Ásia*, n. 49, jan./jun. 2014.

23 LEITE, José Roberto Teixeira. Op. cit., p. 19.

24 Apud CALDEIRA, Arlindo Manuel. *Escravos em Portugal*. A Esfera dos Livros, 2017, p. 49.

25 ALLEN, Richard B. *European Slave Trading in the Indian Ocean, 1500–1850*. Ohio University Press, 2015.

26 SEABRA, Leonor Diaz de; MANSO, Maria de Deus Beites. Op. cit.

27 SPENCE, Jonathan. Op. cit., p. 235.

28 SEIJAS, Tatiana. *Asian Slaves in Colonial Mexico: From Chinos to Indians.* Cambridge University Press, p. 54.

29 Padre Caetano Lopes *apud* CALDEIRA, Arlindo Manuel, p. 51.

30 COSTA E SILVA, Alberto da. *A manilha e o libambo: A África e a escravidão, de 1500 a 1700.* Rio de Janeiro: Nova Fronteira, 2011, cap. 25.

31 MOTT, Luiz Roberto de Barros. *Piauí colonial: População, economia e sociedade.* Projeto Petrônio Portella, 1985, p. 105.

32 SCHUMAHER, Maria Aparecida; BRAZIL, Erico Vital. *Dicionário Mulheres do Brasil: De 1500 até a atualidade.* Rio de Janeiro: Zahar, 2000, p. 206.

33 MOTT, Luiz Roberto de Barros. Op. cit., p. 107.

34 Ibid.

35 LIMA, Solimar Oliveira. "Esperança. Nossa consciência tem nome". *Informe Econômico*, n. 22, 2009, pp. 45-46.

36 REIS, João José; GOMES, Flávio dos Santos; CARVALHO, Marcus J. M. de. *O alufá Rufino.* São Paulo: Companhia das Letras, 2010, p. 364.

37 LOVEJOY, Paul. "Jihad e escravidão, as origens dos escravos muçulmanos da Bahia", *Topoi*, n. 1, 2000.

38 REIS, João José. *A morte é uma festa.* São Paulo: Companhia das Letras, 1991, p. 48.

39 REIS, João José; GOMES, Flávio dos Santos; CARVALHO, Marcus J. M. de. Op. cit. p. 31.

40 *Correio Mercantil*, 8 de agosto de 1839, p. 3. Disponível em <http://memoria.bn.br/pdf/186244/per186244_1839_00166.pdf>.

41 Padre Caetano Lopes *apud* CALDEIRA, Arlindo Manuel, p. 73.

42 PINA, Rui de. *Crônica de dom João II.* Alfa, 1989, p. 57.

43 THORNTON, John. *A África e os africanos na formação do Mundo Atlântico.* Rio de Janeiro: Campus, 2004, p. 87.

44 VERGER, Pierre. *Os libertos*, op. cit. [1992], p. 14.

45 VERGER, Pierre. *Os libertos*, op. cit. [1992], p. 12.

46 HEUMAN, Gad J. *The Slavery Reader.* Psychology Press, 2003, p. 747.

47 Todas as cartas de Zé Alfaiate vêm de: VERGER, Pierre. "L'influence du Brésil au Golfe du Bénin". *Les Afro-Américains*, n. 27, pp. 53-100. Agradeço a Lisiane Shiniki e Eduardo Barbosa pela ajuda na tradução das cartas.

48 DUNCAN, John. *Travels in Western Africa, in 1845 & 1846, comprising a journey from Whydah, through the kingdom of Dahomey.* Londres, 1847.

49 VERGER, Pierre. *Os libertos*, op. cit. [1992], p. 6.

50 FORBES, Frederick E. *Daomé e os daometanos*, op. cit., p. 132.

51 Ibid.

52 PARÉS, Luis Nicolau. "Cartas do Daomé: uma introdução". *Afro-Ásia*, n. 47, 2013.

53 SILVA, Alberto da Costa e. *Francisco Félix de Souza, mercador de escravos*. Rio de Janeiro: Nova Fronteira, 2004, p. 82.

54 VERGER, Pierre. Op. cit. [1987], p. 463.

55 SILVA, Alberto da Costa e. Op. cit.

56 Ibid, p. 88.

57 VERGER, Pierre. *Fluxo e refluxo do tráfico de escravos entre o Golfo de Benin e a Bahia de Todos os Santos, dos séculos* XVII *a* XIX. Salvador: Corrupio, 1987, p. 461.

58 LAW, Robin. "The Evolution of the Brazilian Community in Ouidah". *Slavery & Abolition*, n. 22, 2001, p. 28.

59 LAW, Robin. "An African Response to Abolition: Anglo-Dahomian negotiations on ending the slave trade, 1838–77". *Slavery & Abolition*, n. 16, 1995.

60 Ibid.

61 FORBES, Frederick E. *Daomé e os daometanos...*, op. cit.

62 Em Cuba, passou de 54 mil entre 1800 e 1810 para 186 mil na década de 1830. Disponível em <http://slavevoyages.org/assessment/estimates>.

63 BETHEL, Leslie. *The Abolition of the Brazilian Slave Trade.* Cambridge University Press, 2009, pp. 301-305.

64 *Report from the Select Committee of the House of Lords, appointed to consider the best means which Great Britain can adopt for the final extinction of the African slave trade.* Londres: 1850, Session 1849-1850, pp. 163-164. Disponível em <https://catalog.hathitrust.org/Record/001742019>.

65 REDIKER, Marcus. *The Slave Ship: A Human Story*, Penguin, 2007.

66 EQUIANO, Olaudah. *The Interesting Narrative and Other Writings.* Penguin, 2003.

67 KOSTER, Henry. *Viagens ao Nordeste do Brasil.* São Paulo: Companhia Editora Nacional, 1942, p. 513.

68 OLIVEIRA, Luís Antonio. Memória a respeito dos escravos e tráfico da escravatura entre a costa d'África e o Brasil. *Revista Latinoamericana de Psicopatologia Fundamental*, vol. 10, n. 2. Disponível em <www.scielo.br/pdf/rlpf/v10n2/1415-4714-rlpf-10-2-0362.pdf>.

69 ODA, Ana Maria Galdini Raimundo; OLIVEIRA, Saulo Veiga. *Registros de suicídios entre escravos em São Paulo e na Bahia (1847-1888)*. Apresentado no III Encontro Escravidão e Liberdade no Brasil Meridional.

70 OLIVEIRA, Saulo Veiga; ODA, Ana Maria Galdini Raimundo. "O suicídio de escravos em São Paulo nas últimas duas décadas da escravidão". *História, Ciências, Saúde-Manguinhos*, vol. 15, n. 2, Rio de Janeiro, 2008.

71 COSTA, Wesley Souza. *Quando a mão pesa: Um debate historiográfico sobre violência e escravidão no século* XIX *– Minas Gerais*. Apresentado no XVIII Encontro Regional (ANPUH-MG), julho de 2012.

72 *Revista do Instituto Histórico e Geográfico de São Paulo*, vol.VI, 1902, pp. 291-293.

73 GUEDES, Roberto. "Parentesco, escravidão e liberdade (Porto Feliz, São Paulo, século XIX)", *Varia Historia*, vol. 27, n. 45, Belo Horizonte, 2011.

74 XAVIER, Giovana; FARIAS, Juliana Barreto; GOMES, Flávio (orgs.) "Mulheres negras no Brasil escravista e do pós-emancipação". *Teoria e Cultura*, vol. 4, 2009, pp.28-30.

75 KABENGELE, Daniela do Carmo. "As inflexões do termo pardo na trajetória de Antonio Ferreira Cesarino", *Teoria e Cultura*, vol. 4, 2009.

76 ALVES, Adriana Dantas Reis. *As mulheres negras por cima – O caso de Luiza Jeje*. Tese de doutorado. Niterói: UFF, 2010, p. 183.

77 POHL, Johann Emanuel. *Viagem ao interior do Brasil*. Rio de Janeiro: Instituto Nacional do Livro, 1951, p. 329.

78 GRAHAM, Richard. *Alimentar a cidade*. São Paulo: Companhia das Letras, 2010, p. 122.

79 FARIA, Sheila de Castro. "Cotidiano do negro no Brasil escravista". In: ANDRÉS-GALLEGO, José. Tres Grandes Cuestiones de la Historia de Iberoamerica, Fundación Ignacio Sarremendi, 2005, p. 143.

80 GRAHAM, Richard. Op cit., p. 122. Ver também: RODRIGUES, Vilmara Lucia. "Negras Senhoras: O universo material das mulheres africanas forras". Anais do I Colóquio de Lajes, 2005.

81 COSTA, Valéria Gomes; COSTA, Mônica da; JESUS, Teresa de. "Africanas libertas, status e redes sociais no Recife oitocentista". Em: *Mulheres negras no Brasil escravista e do pós-emancipação*, Selo Negro, 2012, p. 98.

82 GRAHAM, Richard. Op. Cit. [2010], pp. 67 e 324.

83 FARIA, Sheila de Castro. Op. cit., p. 144.

84 Ibid, p. 122.

85 FARIAS, Juliana Barreto. "Sob o governo das mulheres, casamento e divórcio entre africanas e africanos minas no Rio de Janeiro do século 19". Em: *Mulheres negras no Brasil escravista e do pós--emancipação*, Selo Negro, 2012, p. 120.

86 Ibid, p. 118.

87 SOARES, Geraldo Antonio. "Esperanças e desventuras de escravos e libertos em Vitória e seus arredores ao final do século XIX". *Revista Brasileira de História*, vol. 26, n. 52, São Paulo, 2006.

88 SLENES, Robert. "Senhores e subalternos...", op. cit., p. 254.

89 FREYRE, Gilberto. *Casa-Grande & senzala*. Rio de Janeiro: José Olympio, 1964, p. 68.

90 SIQUEIRA, José de Goes. *A prostituição na cidade do Rio de Janeiro*. 1875, p. 53.

91 ALVES, Adriana Dantas Reis. "Mulheres 'afro-descendentes' na Bahia: Gênero, cor e mobilidade social (1780–1850)". Em: *Mulheres negras no Brasil escravista e do pós-emancipação*, Selo Negro, 2012, p. 27.

92 XAVIER, Giovana; FARIAS, Juliana Barreto; GOMES, Flávio (orgs.). Op. cit., p. 27.

93 SANTOS, Claudia Santiago. *Escravas do desejo. Estratégias de liberdade e sobrevivência na sociedade escravista*. p. 11. Apresentado no XXVIII Simpósio Nacional de História, Florianópolis, julho de 2015.

94 ALVES, Adriana Dantas Reis. Op. cit., p. 164.

95 SILVA, Maria Beatriz Nizza da. *História da família no Brasil colonial*. Rio de Janeiro: Nova Fronteira, 1998, p. 199.

96 GUEDES, Roberto. "Parentesco, escravidão e liberdade", op. cit., p. 228.

97 Ibid, p. 231.

98 SOARES, Carlos Eugênio Líbano. "Sacramento ao pé do mar, batismo de africanos na freguesia de Conceição da Praia, Bahia, 1700-1751". *Revista de História Comparada*, 2013.

99 REIS, João José. "De escravo a rico liberto: a trajetória do africano Manoel Joaquim Ricardo na Bahia Oitocentista". *Revista de História*, USP, n. 174, 2016.

100 REIS, João José. "Escravos-Senhores na Bahia Oitocentista". Conferência de abertura do Seminário Nacional Interlocuções Brasil-África, novembro de 2013.

101 FRAGOSO, D. Mauro Maia. *Antônio Teles: escravo e mestre pintor setecentista, no mosteiro de São Bento do Rio de Janeiro*. Instituto Histórico e Geográfico Brasileiro, 2013.

102 PATTERSON, Orlando. *Slavery and Social Death*. Cambridge: Harvard University Press, 1982, p. 184.

103 Apud PARRON, Tâmis. *A política da escravidão no Império do Brasil*. Rio de Janeiro: Civilização Brasileira, 2011, p. 153.

104 REIS, João José. "De escravo a rico liberto", op. cit. [2016].

105 REIS, João José. "Escravos-senhores...", op. cit. [2013].

106 KOSTER, Henry. Op. cit., p. 513.

107 GRAHAM, Richard. Op. cit. [2010], pp. 81-82.

108 Arquivo Público do Estado da Bahia, caixa 1048, pasta 4.

109 REIS, João José. "Escravos e coiteiros no quilombo do Oitizeiro". Em: REIS, João José; GOMES, Flávio dos Santos. *Liberdade por um fio*. São Paulo: Companhia das Letras, 2005, p. 356.

110 Ibid.

111 Todas as informações sobre Agostinho e os quilombos maranhenses vêm de: GOMES, Flavio dos Santos. *A Hidra e os pântanos: Quilombos e mocambos no Brasil*. Tese de doutorado, Unicamp 1997.

112 ALEGRE, Manoel de Araújo Porto. "Memória sobre a antiga escola de pintura fluminense". *Revista Trimensal de História e Geografia do Instituto Histórico e Geográfico Brasileiro*, 1841. Ver também: DEL PRIORE, Mary. *Histórias da gente brasileira*, vol. 1. São Paulo: Leya, 2016, pp. 104-105.

113 GUEDES, Roberto. *A resistência da escravidão*. Porto Feliz: São Paulo, séc. XIX. In: Anais do IV Encontro Escravidão e Liberdade no Brasil Meridional, 2009.

114 As informações sobre Caetana neste capítulo vêm de GRAHAM, Sandra Lauderdale. *Caetana diz não*. São Paulo: Companhia das Letras, 2002.

115 SCHEFFER, Rafael da Cunha. "Lares Partidos: famílias no comércio interno de escravos (1865-1880)". Apresentado no 7º Encontro

Escravidão e Liberdade no Brasil Meridional, Curitiba (UFPR), maio de 2015. Disponível em <http://www.escravidaoeliberdade.com.br/>.

116 CHALHOUB, Sidney. *Visões da liberdade*. São Paulo: Companhia de Bolso, 2011, pp. 57-60.

117 Todos os dados sobre essa história estão em: EXPILLY, Charles. *Mulheres e costumes do Brasil*. São Paulo: Companhia Editora Nacional, 1935.

118 Apud TEIXEIRA, Heloísa Maria. "Entre a escravidão e a liberdade: as alforrias em Mariana-MG no século XIX (1840-1888)". *Afro-Ásia*, n. 50, 2014.

119 Ibid.

120 PIRES, Maria de Fátima Novaes. Cartas de alforria: "para não ter o desgosto de ficar em cativeiro", Revista Brasileira de História, vol. 26, n. 52, dezembro de 2006.

121 KOSTER, Henry. *Viagens ao Nordeste do Brasil*, op. cit., p. 513, nota de rodapé.

122 MOURA, Clovis. *Dicionário da escravidão negra no Brasil*. Edusp, 2004, p. 329.

123 GRAHAM, Sandra. "O Impasse da Escravatura: prostitutas escravas, suas senhoras e a lei brasileira de 1871". *Acervo*, vol. 9, n. 1-2, jan./dez. (1996). Ver também: SOARES, Luís Carlos. *O "povo de cam" na capital do Brasil: a escravidão urbana no Rio de Janeiro do século* XIX. Rio de Janeiro: Sete Letras, 2007.

124 ALMEIDA, José Ricardo Pires de. *Higiene moral – Homossexualismo: A libertinagem no Rio de Janeiro*. Rio de Janeiro: Laemmert, 1906.

125 Ação de liberdade contra Anna Valentina da Silva, Arquivo Nacional, Relação do Rio de Janeiro – 84, Ficha 573183, número 2781, caixa 1624, 1869.

126 TEIXEIRA, Heloísa Maria Teixeira. "Pelos serviços prestados: o perfil do escravo alforriado em Mariana no período 1840-1888". *Estudos Econômicos*, vol. 46, n. 1. São Paulo, 2016.

CRÉDITOS DAS IMAGENS

2, 173 Marc Ferrez / Coleção Gilberto Ferrez / Acervo Instituto Moreira Salles
17 Prisma Archivo / Alamy Stock Photo
23 Acervo da Fundação Biblioteca Nacional - Brasil
28-9 Acervo da Fundação Biblioteca Nacional - Brasil
37 João Goston / Acervo Instituto Moreira Salles
40-1 Charles Landseer / Highcliffe Album / Acervo Instituto Moreira Salles
49 Granger Historical Picture Archive / Alamy Stock Photo
54 Reproducão de Paulo Gutemberg
62-3 Acervo da Fundação Biblioteca Nacional - Brasil
66 Album / Album Art / Latinstock
72 Collection Gregoire / Rue des Archives / Latinstock
75 Paul Fearn / Alamy Stock Photo
78 Reprodução, Lindedemann, ed. Coleção Antonio Marcelino, Salvador
84 Reprodução de Milton Guran
88 Akg-Images / Latinstock
93 Pictorial Press Ltd / Alamy Stock Photo
97 Carl Bernhard Wadstrom, "Plan and Sections of a Slave Ship"/ http://www.virginiamemory.com/online-exhibitions/items/show/362
100 Album Art / Latinstock
105 Acervo da Fundação Biblioteca Nacional - Brasil
111 Coleção das famílias Cesarino e Massarotto. Reprodução de Daniela do Carmo Kebengele
114-5 Akg-Images / Latinstock
119 Acervo da Fundação Biblioteca Nacional - Brasil
122-3 Acervo da Fundação Biblioteca Nacional - Brasil
128 Reprodução
136 Reprodução
142-3 Acervo da Fundação Biblioteca Nacional - Brasil
149 Acervo da Fundação Biblioteca Nacional - Brasil
151 Charles Landseer / Highcliffe Album / Acervo Instituto Moreira Salles
152 Wikimedia Commons
157 Paul Harro-Harring / Acervo Instituto Moreira Salles
166-7 Reprodução
176 Acervo da Fundação Biblioteca Nacional - Brasil
178 Acervo da Fundação Biblioteca Nacional - Brasil
182-3 Reprodução
187 Reprodução
194 Reprodução

ESTAÇÃO
BRASIL

Estação Brasil é o ponto de encontro dos leitores que desejam redescobrir o Brasil. Queremos revisitar e revisar a história, discutir ideias, revelar as nossas belezas e denunciar as nossas misérias. Os livros da Estação Brasil misturam-se com o corpo e a alma de nosso país, e apontam para o futuro. E o nosso futuro será tanto melhor quanto mais e melhor conhecermos o nosso passado e a nós mesmos.